D1232168

L'ARTHRITE:
UNE
SOUFFRANCE INUTILE?

Fleurs Sociales

Ouvrages publiés par les Éditions Fleurs Sociales.

Soigner avec pureté, Johanne Verdon-Labelle n.d.
Montréal, 1984, 341 pages.

Contes symboliques:

Elvira et Cassioppée (épuisé), Johanne Verdon-Labelle n.d.
Montréal, 1983, 36 pages.

L'Étoile d'amour, Johanne Verdon-Labelle n.d.
Montréal, 1986, 63 pages.

YVAN LABELLE n.d.

L'ARTHRITE:
UNE
SOUFFRANCE INUTILE?

Fleurs Sociales

Tous droits de traduction et d'adaptation réservés; toute reproduction d'un extrait quelconque de ce livre par quelque procédé que ce soit et notamment par photocopie ou microfilm strictement interdite sans l'autorisation écrite de l'auteur.

Photo de la couverture   Les «Photos
                                        Richard Gauthier» Inc.

Maquette de la couverture: Imprimerie Gagné

LES ÉDITIONS FLEURS SOCIALES
1274, Jean-Talon Est, bur. 200
Montréal (Québec) H2R 1W3
Tél.: (514) 272-0018
Fax.: (514) 272-6956

Distributeur au Canada (en librairie)
LES ÉDITIONS FLEURS SOCIALES
1274, Jean-Talon Est, bur. 200
Montréal (Québec) H2R 1W3
Tél.: (514) 272-0018
Fax.: (514) 272-6956

Bureau de consultation:
Centre Naturopathique Verdon-Labelle
1274, Jean-Talon Est, bur. 200
Montréal (Québec) H2R 1W3
Tél. : 272-0018
Fax. : 272-6956

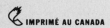 **IMPRIMÉ AU CANADA**

ISBN 2-920540-04-1
Copyright 1987, Éditions Fleurs sociales.
Tous droits réservés.

Dépôt légal 2ième trimestre 1987
Bibliothèque Nationale du Québec

Dépôt légal 2ième trimestre 1987
Bibliothèque Nationale du Québec

AVERTISSEMENT

Les soins en médecine douce indiqués dans ce livre n'excluent, en aucun cas, le recours au diagnostic d'un professionnel de la santé spécialisé en intervention pharmaceutique si cela s'avère nécessaire.

YVAN LABELLE n.d.

LA MALADIE EST UNE LUTTE
POUR CONQUÉRIR LA SANTÉ

*Je dédie ce livre à tous ceux et celles qui
souffrent et qui atteints de maladies
arthritiques ou rhumatismales, cherchent une
solution réelle à leur souffrance.*

*Je souhaite que pour vous, comme il en a été pour
moi, l'arthrite ou le rhumatisme ne soit pas une
souffrance inutile puisque ces alarmes
profondes, que nous donne notre corps dans ces
cas, sont un appel à l'équilibre de notre santé
physique, psychologique et spirituelle.*

Mes plus sincères remerciements à Mademoiselle Sylvia
Portigliati qui a dactylographié le manuscrit de ce livre. Son
dévouement désintéressé a rendu possible la publication de
ce volume.

''Pour grandir à nouveau l'homme est obligé de se refaire
et il ne peut se refaire sans douleur, car il est à la fois le
marbre et le sculpteur. C'est de sa propre substance qu'il
doit, à grands coups de marteau, faire voler les éclats afin
de reprendre son vrai visage.''

Alexis CARREL.

TABLE DES MATIÈRES

NOTES DE L'AUTEUR

Voici le cas troublant d'un jeune homme arthrosique. De l'aveu même de ses neurochirurgiens, il était loin d'avoir la plus belle colonne cervicale à Montréal. En réalité, il avait la colonne d'un vieillard.

Cette histoire remonte au début des années "60". Il était alors étudiant à l'université de Montréal, à la faculté de pharmacie.

Ses problèmes de santé débutèrent par des pertes de mémoire. Il dut ensuite porter des lunettes. D'une façon assez irrégulière, des douleurs à l'épaule gauche firent leur apparition. Il se sentait toujours fatigué. Il avait constamment une cigarette ou un cigare à la bouche et buvait environ une dizaine de tasses de café par jour avec beaucoup de sucre. Enfin, il constatait que ses pulsations cardiaques étaient rapides.

Cet état lamentable de santé dura plusieurs années. Plus tard, des douleurs commencèrent à se faire sentir au niveau du cou, deux ou trois fois par semaine. Un beau jour, il dut se présenter à l'urgence d'un hôpital à la suite d'une vive douleur à l'épaule. Après examen, on constata que le trouble provenait de la colonne cervicale. Le neurochirurgien qui prit et analysa les radiographies diagnostiqua:

"Une céphalée progressive accentuée par les mouvements d'hyperflexion, d'hyperextension et de rotation de la tête ainsi qu'un début de baisse de la vision qui semble progressive. Le fond de l'oeil est normal. Le pouls veineux est difficile à percevoir. Les radiographies de la colonne démontrent une synostose (soudure) complète de C6 et C7 (entre la sixième et la septième vertèbre cervicale ce qui explique facilement cette symptomatologie".

Une myélographie effectuée le 6 mai démontra une asymétrie du canal de la synostose. Le sixième disque était très endommagé. On pouvait observer la déformation de six apophyses et une scoliose cervicale.

Le neurochirurgien lui dit qu'il opérait fréquemment dans des cas comme celui-là et ajouta que l'opération était sans danger bien que les probabilités d'un rétablissement complet étaient faibles.

Le jeune homme attendit six mois avant d'envisager l'opération. Les douleurs le forcèrent à accepter cette éventualité. Elles se manifestaient du côté gauche de la tête et de la colonne. Des maux de tête lancinants et irréguliers suivaient souvent l'augmentation des battements du coeur. Des douleurs vives et soudaines, partaient de la colonne cervicale et irradiaient dans le bras gauche.

Une gastro-entérite avec colite fit son apparition. Malgré tous les médicaments administrés, l'inflammation dura deux ans et demi. Des varices apparurent à la jambe gauche et les hémorroïdes se manifestèrent aussi.

La situation empirait: les douleurs le réveillaient souvent la nuit et sa main gauche refusait maintenant de bouger. Ce fut l'admission à l'hôpital puis l'opération.

Selon le neurochirurgien, l'opération avait très bien réussi. Par contre, le chirurgien n'avait pu faire exactement ce qu'il voulait. Il croyait qu'il y avait une tumeur. Quoi qu'il en fût la dysesthésie de la région du cubitus provenant de C8, avait disparu depuis l'intervention. Le jeune homme sortit donc de l'hôpital en assez bon état et il n'avait plus besoin de lunettes.

Après quatre mois de convalescence, il reprit le travail. Il travaillait alors dans une pharmacie. Il se sentait cependant toujours fatigué, voire épuisé. Environ huit mois plus tard, il commença de nouveau à éprouver de la difficulté à lire de loin. Il dût donc se procurer des lunettes.

À ce moment-là, ce fut le commencement de la fin. La nervosité s'était emparée de lui. Il devenait susceptible, impatient, irritable, agressif. La maladie faisait ses ravages; il était de plus en plus nerveux et ne digérait plus rien. Les douleurs à la tête étaient réapparues. Elles se manifestaient et se ''promenaient'' continuellement. Les douleurs cervicales reprirent de toutes parts. Elles étaient plus vives au niveau des cinquième, sixième et septième vertèbres cervicales. L'os de la huitième vertèbre (D1) devenait plus sensible. Les pertes de mémoire réapparurent, de même que les serrements au niveau cervical: il avait l'impression qu'une main invisible serrait l'intérieur de la colonne cervicale. Les douleurs étaient de plus en plus soutenues et commençaient à descendre à la région lombaire. Si notre jeune homme avait le malheur de se coucher sans oreiller, au bout de quelques minutes, il lui était très difficile de se lever. Le cou, les épaules, les colonnes dorsale et lombaire s'ankylosaient. Il se prenait alors par les cheveux et tirait lentement: la tête suivait.

Des douleurs assez fortes apparurent aux doigts et aux jointures. Elles alternaient d'un doigt à l'autre et d'une main à l'autre. Un peu plus tard, les avants-bras furent atteints à leur tour. C'est à ce moment-là qu'il consulta de nouveau son neurochirurgien. Ce dernier lui apprit qu'il avait la colonne d'un homme de 70 ans et qu'on devait lui faire deux greffes cervicales. Le cas avait supposément été soumis au conseil des neurochirurgiens de l'hôpital. Le verdict était le même: l'opération.

Il fallait faire deux greffes dans la région antérieure. Selon le neurochirurgien, l'opération était urgente, sinon dans quelques temps ce serait la paralysie. Le jeune homme refusa l'opération. Plusieurs mois plus tard, il retourna voir le neurochirurgien pour se faire dire qu'il allait devoir vivre toute sa vie avec ces terribles douleurs qu'il ressentait à la tête, au cou et aux épaules.

C'est à ce moment-là qu'il demanda le transfert de son dossier à un autre neurochirurgien de Montréal qui constata pour sa part:

"Une inversion de la lordose cervicale dans les segments inférieurs. Les corps de C6 et C7 sont fusionnés. Il y a eu laminectomie complète à C6 et C7 et l'on observe un glissement antérieur de C5 sur C6 avec formation d'ostéophytes à C5 et C6. Le canal rachidien de cette région est de grandeur normale. Il existe des signes d'arthrose apophysaire sur toute la longueur de la colonne cervicale. La flexion n'est pas limitée mais l'extension par contre est réduite. Il y a mobilité exagérée de C7 sur D1 malgré l'apparence des ostéophytes antérieurs qui semblent faire un pont complet à la partie antérieure. Donc il y a dégénérescence discale du segment C7-D1.

Conclusion: une discarthrose cervicale." Le neurochirurgien refusa l'opération en prenant bien soin de mentionner au patient qu'il y aurait à la subir plus tard. Pour le moment, il considérait que le patient était trop jeune. C'est alors que ce dernier eut recours à un physiâtre, qui était chef du département de physiothérapie. Ce médecin prit bien soin de lui dire qu'il y avait très peu de chance que son état s'améliore par un traitement conventionnel, c'est-à-dire par l'application d'une source de chaleur suivie de tractions cervicales. Les résultats furent cependant passables. Lorsqu'il recevait ses traitements régulièrement, le jeune homme se sentait mieux. Cependant, il ne devait pas manquer un traitement, sinon c'était à recommencer. S'il passait quelques journées sans traitement, les douleurs revenaient rapidement.

Durant la période des traitements, des bosses firent irruption sur la colonne. Elles le faisaient souffrir. La douleur ressemblait à de violentes brûlures. Il en parla au médecin qui localisa très bien les bosses et lui expliqua que des cellules nerveuses s'étaient ramifiées sur la colonne.

On lui fit une autre série de traitements avec le néodynator, appareil qui produit un champ magnétique. Ces traitements ne changèrent rien. Au contraire, les douleurs augmentèrent. Elles irradiaient de la colonne vers l'extérieur. À son tour, le médecin chef signala au patient qu'il n'avait pas la plus belle colonne en ville et lui donna congé. Sa santé continuait à se détériorer. Il faisait des chutes de tension artérielle au travail. Il éprouvait beaucoup de difficulté à fonctionner normalement et devenait de plus en plus dépressif.

C'est à cette époque qu'un ami lui conseilla le traitement naturopathique qui l'avait guéri de l'eczéma. Il décida donc de se faire traiter par un naturopathe, de toute façon, il n'avait plus rien à perdre, les médecins l'avaient condamné.

Il était temps que ce jeune homme rencontre quelqu'un qui pouvait faire quelque chose de valable pour lui. Il était passé d'un médecin à l'autre mais la maladie suivait inexorablement son cours. Il avait bien pris conscience de la chronicité de sa maladie, mais il ne pouvait s'habituer à vivre avec ce grave handicap et ces douleurs difficiles à supporter.

Au début du traitement naturopathique, un tophus apparut dans le lobe de l'oreille gauche. Il était très rond puis et très rapidement il devint de la grosseur d'un pois.

Les thophi sont des dépôts de déchets uriques, visibles sous la peau et très reconnaissables à leur coloration blanchâtre. Ils s'enchâssent dans le cartilage des oreilles. Ils sont dangereux d'une part parce qu'ils peuvent s'infecter et s'ulcérer et d'autre part parce qu'ils traduisent une forte surcharge d'acide urique dans les tissus. Ils doivent donc faire craindre l'apparition d'arthropathie uratique qui est la conséquence de cet excès d'acide urique dans le corps. Pour le naturopathe, ces tophi représentent l'effort que fournit l'organisme pour se débarrasser de déchets dangereux.

Le traitement naturopathique produisit ce que certains appelleraient un véritable miracle. Voici la liste des symptômes et des douleurs qui disparurent à la suite du traitement naturopathique:
— douleurs frontales gauches ou droites, en alternance;
— fortes céphalées au centre de la tête;
— douleurs musculaires externes au cou;
— douleurs internes au cou;
— serrements à la région cervicale;
— douleurs aux épaules;
— douleurs musculaires à la base des épaules;
— manque de concentration;
— voile devant les yeux;
— vertiges;

— déséquilibre vers la gauche;
— chutes de tension artérielle;
— violents maux de tête en position penchée vers l'avant;
— picotements aux doigts;
— gastro-entérite;
— colite;
— serrements dans les jambes;
— tremblements réguliers au plexus solaire;
— constipation opiniâtre;
— spasmes accompagnés de douleurs au coeur;
— douleurs le long des voies urinaires;
— hémorroïdes;
— état dépressif;

En outre, le bras gauche a retrouvé la force, la concentration est redevenue normale, la vue s'est largement améliorée, le pouls bat normalement, les extrémités des membres ne sont plus froides, la colonne vertébrale n'est plus sensible. Il y a eu une très nette amélioration des flexions latérales, antérieures et postérieures de la colonne cervicale. Enfin les craquements lors de ces flexions qui survenaient lors de ces flexions sont disparus.

Sur le plan mental, c'est l'euphorie totale. Notre jeune homme a maintenant une meilleure compréhension de la vie. Il comprend le pourquoi des maladies et reconnaît l'importance primordiale d'une bonne alimentation. Il sait maintenant que l'ensemble des symptômes et des douleurs qu'il a connus n'étaient en réalité que des signaux d'alarme qui furent mal interprétés. La véritable médecine humaine scientifique enseigne que le corps est un tout indivisible qui doit être traité dans son ensemble et non en partie.

Le jeune homme dont il est question ici est l'auteur du présent ouvrage!

INTRODUCTION

"Je décris la cause de l'arthrite comme étant une perversion de la nutrition chez un sujet toxémique. Il ne fait aucun doute que l'irritation primaire qui amène des changements anormaux au niveau des articulations, soit due à la présence dans le sang et la lymphe de déchets toxiques et instables accumulés depuis des mois et des années chez l'individu dévitalisé."

Dr Herbert M. Shelton.

INTRODUCTION

L'alimentation trop copieuse, irritante, toxique est devenue un fléau. À cause d'elle, les gens deviennent rhumatisants, arthritiques, goutteux, car ils mangent avec excès: Viandes, sucreries, alcool, thé, café, chocolat et autres. Ces aliments encrassent l'organisme jusqu'à l'épuisement. En outre ils provoquent de sérieuses carences puisque ce sont des aliments dévitalisés et dépourvus de substances nutritives essentielles.

Certaines personnes consomment exclusivement ou presque, des oeufs, de la viande, du sucre, du beurre, du vin. Elles oublient qu'elles ont surtout besoin de fruits frais et de légumes verts. Il semble difficile d'expliquer pourquoi certains recherchent surtout les aliments qui leur sont néfastes et refusent ceux qui pourraient leur faire du bien.

L'erreur alimentaire la plus fréquente demeure la suralimentation. Celle-ci détruit la résistance des humeurs et par le fait même, leur pureté. Elle entraîne aussi des troubles digestifs divers.

La constipation engendre également des maladies graves. C'est ainsi que l'action prolongée de ces différentes fautes commises sans répit engendre des altérations viscérales permanentes, des viciations humorales profondes et des insuffisances qui se manifestent par des intoxications organiques.

Parlant de l'arthrite, dans la revue des maladies de la nutrition, Fernet souligne les conséquences du surmenage gastro-intestinal et en conclusion rend celui-ci responsable de l'éclosion des troubles arthritiques: ''L'abus de la quantité des aliments et les fautes relatives à leur qualité, joints à l'abus des boissons alcooliques et des excédents de toutes sortes, en surmenant et en malmenant l'appareil digestif, en même temps qu'ils encombrent l'économie de mauvais produits entraînant une multitude de désordres fonctionnels et organiques; ils sont les facteurs ordinaires des dystrophies ou troubles de nutrition qu'on a coutume d'englober sous le terme générique d'arthritisme.''

Pascault, dans son livre ''L'arthritisme par suralimentation'', démontre irréfutablement le rôle de l'intoxication alimentaire dans la genèse de cette diathèse. Il établit d'une façon parfaite la pathogénie des troubles et des lésions de l'arthritisme. Il insiste sur le fait que l'hypothèse héréditaire n'explique rien en elle-même, ne faisant que reculer la question; c'est surtout parce que tous les membres d'une même famille commettent les mêmes erreurs alimentaires et hygiéniques que l'arthritisme se crée, s'entretient et se développe.

Carton, pour sa part, associe les facteurs essentiels de l'arthritisme à l'alimentation vicieuse et surabondante, à l'absence ou à l'insuffisance d'exercice naturel, principalement de la marche, de même qu'à l'auto-intoxication produite par la constipation et enfin à la vie fiévreuse et trépidante qui dilapide les forces nerveuses et use prématurément les organes. Précisant sa pensée, Carton énonce ce qui est le plus nuisible sur le plan alimentaire:
— L'usage de l'alcool et l'abus des boissons fermentées.
— L'abus de la viande et du poisson.
— L'abus du sucre et des produits industriels.
— L'insuffisance ou l'absence d'aliments crus.
— L'usage courant d'aliments acides.
— La surcharge alimentaire globale (excès azotés et cuisine trop forte).

Le Docteur J.E. Ruffier, écrit dans un ouvrage intitulé ''Arthritisme'', au sujet de l'utilisation des protéines (protides) dans l'organisme (comme la viande, le fromage, les oeufs, le lait, le poisson.): ''Pendant l'enfance et la jeunesse, l'organisme exige une assez grande quantité de ces protides afin de s'assurer la croissance du corps en même temps que la réparation de l'usure des organes. Mais dès l'âge mûr, ce qu'il faut pour maintenir la structure du corps diminue considérablement. Il en résulte que l'alimentation usuelle comporte beaucoup plus de protides qu'il n'est nécessaire. Le surplus, qui ne peut-être utilisé par les organes, s'accumule en déchets azotés.

Principalement en urée, acide urique et urates, qui ne s'éliminent pas aussi facilement que l'eau et l'acide carbonique. Il n'y a guère que la voie rénale qui leur soit ouverte, et qui, si elle peut débiter beaucoup d'eau, ne peut évacuer dans cette eau beaucoup de déchets azotés. C'est pourquoi les gens qui mangent trop de protides font de l'uricémie, de l'azotémie, de la cholestérolémie, autrement dit des excès dans l'urine et dans le sang, excès qui caractérisent essentiellement l'intoxication humorale qu'on nomme Arthritisme.''

On pourrait continuer à citer nombre d'auteurs qui reconnaissent comme cause fondamentale de l'arthritisme un encrassement des humeurs par surcharge de déchets azotés, encrassement produit par un mauvais métabolisme des protides et compliqué par une acidification des tissus. L'espace nous manque évidemment ici pour faire un tour d'horizon complet. De ce sujet, qu'il suffise seulement de rappeler que les causes véritables de l'arthritisme, n'en déplaise à certains pseudo-scientifiques, sont connues depuis longtemps. En supprimant ces causes, la guérison devient possible. Le témoignage de milliers de patients, traités par les méthodes naturelles, en est la preuve éloquente.

1

Les grands principes de base

''La médecine remportera son plus grand triomphe quand elle découvrira le moyen de nous permettre d'ignorer la maladie, la fatigue, la crainte. Nous devons aux êtres la liberté et la joie qui viennent de la perfection des activités organiques et mentales''.

Alexis Carrel.

Le corps est un tout indivisible qui doit être traité dans son ensemble et non en partie. On ne doit jamais oublier ce grand principe. C'est pourquoi, j'insiste, d'une façon toute particulière, sur la philosophie naturopathique. S'il en saisit bien les principes, le lecteur y trouvera la clef qui permet d'ouvrir la porte à la guérison des troubles arthritiques.

Il semblera sans doute surprenant pour plusieurs de constater qu'un ouvrage portant essentiellement sur l'arthrite présente seulement en appendice la description des maladies arthritiques et rhumatismales ainsi qu'une description des différents types de douleurs et de détériorations vertébrales. Ce qui importe vraiment, c'est de pouvoir corriger les mauvaises habitudes de vie qui provoquent l'arthritisme. Pour ce faire, il faut les connaître et comprendre leur action funeste. L'arthrite se guérit en obéissant aux grandes lois de la vie, c'est-à-dire en vivant de façon vraiment naturelle.

La naturopathie représente l'ensemble des méthodes et des techniques qui favorisent le maintien et le perfectionnement de la santé. Ces méthodes et ces techniques sont aussi celles qui assurent le rétablissement de la santé. En cas de maladie, il faut et il suffit de les appliquer en fonction de la vitalité du malade. Ainsi, dans certains cas, la malade a besoin de moins d'exercice qu'une personne en bonne santé et de plus de repos. L'alimentation, il va sans dire, doit aussi être adaptée à la condition du malade. Il en va ainsi pour tous les autres facteurs naturels de santé.

La naturopathie enseigne aussi que tout être vivant est animé d'une force vitale qui conditionne l'auto-guérison en cas d'affection. La guérison est une fonction de l'être vivant, au même titre que la respiration et la digestion.

C'est toujours l'être vivant qui se guérit lui-même, ce n'est jamais le médicament qui le guérit. C'est en restituant au milieu humoral perturbé ou altéré, les agents naturels qui lui manquent qu'un organisme parvient à se guérir.

L'état de pureté ou d'encrassement de nos humeurs (sang, lymphe et liquide cellulaire) est le reflet de notre mode d'alimentation.

En modifiant nos habitudes de vie dans le sens du respect des lois de la nature, on assiste infailliblement à la normalisation de l'état des humeurs de l'organisme. En d'autres termes, il se produit une désintoxication. Celle-ci s'accompagne nécessairement d'une amélioration des fonctions perturbées et d'une réparation des lésions.

L'arthrite est une maladie d'encrassement. Les humeurs de l'arthritique sont saturées de déchets acides de toutes sortes, dont des déchets de type urique. La naturopathie parvient à rétablir ces malades, tout simplement en nettoyant à fond leur organisme.

La naturopathie s'attaque aux causes profondes et primitives de toutes les maladies. Elle vise essentiellement à purifier le terrain et à en combler les carences. Elle fournit à l'organisme du malade les agents et les conditions naturelles nécessaires à son rétablissement. Une fois de plus, répétons-le, la guérison est un phénomène interne, vital, physiologique et biologique. Elle est inhérente à la vie et contrôlée par les lois naturelles.

Cette façon de voir les choses est encore inhabituelle. Nous sommes portés à considérer la maladie comme une sorte d'ennemi à combattre farouchement. En réalité, la maladie est salutaire. Ce n'est rien d'autre qu'un effort de l'organisme pour se débarrasser des substances toxiques qui l'encombrent. Il ne faut pas combattre la maladie, mais plutôt chercher à en supprimer les causes. Celles-ci résident dans nos mauvaises habitudes de vie.

2

Le développement de l'arthritisme

LE FACTEUR ALIMENTAIRE:

"La plus grande joie de l'homme n'est pas d'être en santé, mais de le devenir''.

Goethe.

Le principal facteur alimentaire qui provoque l'apparition des troubles arthritiques réside dans la surcharge des produits azotés, notamment dans l'excès de viande. Il se produit alors une acidification humorale causée par la présence d'acides (lactique, urique, etc...) dans l'organisme. Cette acidification représente un danger pour l'intégrité cellulaire, aussi ces acides doivent-ils être neutralisés. Pour ce faire, l'organisme mobilise ses sels calcaires (de calcium) qu'il extrait notamment des os et des dents, d'où ces dépôts pathologiques logés aux zones péri-articulaires, c'est-à-dire la formation de dépôts de calcium autour des articulations.

Au point de vue naturopathique, il n'y a pas de différence entre les diverses manifestations arthritiques. L'arthrite se caractérise essentiellement par l'acidité des humeurs. À l'état normal, le sang est un milieu presque neutre, légèrement alcalin, il doit conserver cette alcalinité pour maintenir l'intégrité cellulaire.

L'excès de substances azotées c'est-à-dire riches en protéines, laisse un résidu acide dans l'organisme et l'acidité du milieu produit les complications toxiques. Par contre les végétaux pauvres en protéines, comme les fruits et les légumes verts, laissent pour la plupart un résidu alcalin.

Les putréfactions intestinales favorisent aussi l'acidification des humeurs. Les biologistes Gilbert et Dominici ont démontré qu'une alimentation riche en viande amène un nombre considérable de germes dans l'intestin. En se décomposant, les produits azotés engendrent divers acides (butyrique, acétique, lactique, valérique, oxalique). Tous ces acides sont évidemment néfastes.

Tel est le point de départ de l'arthritisme. On peut d'ailleurs reconnaître un futur arthritique par l'odeur nauséabonde de ses selles. Si le foie de cette personne est incapable de neutraliser ces déchets acides et si ses reins ne parviennent pas à les éliminer, les troubles arthritiques se manifesteront rapidement.

Souvent l'état arthritique se développe très tôt dans la vie. Dès les premiers mois de l'existence, on peut déjà entrevoir certaines tendances à l'arthritisme chez les enfants. Portés par des mères dont les humeurs sont acides au départ et, dotés d'une hérédité défaillante au niveau du foie et des reins, certains enfants ont tous les risques de devenir arthritiques. Leur état est toujours aggravé par la consommation du lait de vache qu'on leur donne et qui est trop riche en protéines pour eux. Si on leur fait manger très tôt de la viande, on réunit alors toutes les conditions pour favoriser l'apparition précoce de l'arthritisme.

Voici ce que dit le professeur Mouriquand à ce sujet: ''L'enfant arthritique accroît sa *diathèse par un apport personnel. À la table familiale, il a sous les yeux, dès la plus tendre enfance, toutes les tentations et toutes les excitations possibles. Souvent héritier d'un bel appétit, il est entraîné vers les mets les plus interdits à son âge. Nous savons que dès leur première année, les enfants marquent une appétence particulière pour les viandes. Ils ont déjà des instincts de carnivores, déjà ils aiment leur poison''.

Le naturopathe pourra discerner, malgré la vitalité débordante de l'enfant, les premiers signes de l'acidification: constipation, teint cireux, mauvaise assimilation des aliments, entérite, diarrhée, douleurs aux os des jambes (appelées douleurs de croissance...), tendance aux inflammations de la vessie, à l'eczéma, à l'érythème fessier dès les premières dents, toux chronique, rhumes et grippes à répétition, laryngite, certains cas d'otites chroniques, démangeaisons, urticaire, etc...

Grâce à sa vitalité, l'enfant peut surmonter ces difficultés par de bonnes crises de désintoxication. Mais si l'on s'oppose à celles-ci par une médication abusive et anti-symptomatique, la situation ne peut que se détériorer.

On voit ici l'importance de bien comprendre les grands principes de base de la naturopathie afin de réaliser que la maladie est un effort curatif de l'organisme que l'on doit favoriser pour assurer l'élimination des toxines.

À l'adolescence, l'enfant a souvent perdu une bonne partie de sa vitalité. Au fur et à mesure qu'il vieillit, celle-ci décroît. C'est à ce moment qu'apparaissent, de façon plus régulière, les maladies dites chroniques qui font nécessairement suite aux maladies aiguës. À ce moment, l'individu ne dispose plus d'énergie en quantité suffisante pour produire les mêmes crises de désintoxication. C'est ce qui explique pourquoi les enfants font de fortes fièvres alors que les adultes en font moins.

Lorsque l'organisme est saturé de déchets acides produits surtout par une alimentation inappropriée, l'arthritisme peut se manifester. Le premier organe atteint est le foie. Chez ceux qui mangent beaucoup de viande, cet organe est toujours sérieusement touché. Les déchets azotés entraînent un travail accru de cet organe qui, tôt ou tard, n'arrive plus à accomplir l'une de ses plus importantes fonctions: la neutralisation des toxines.

Lorsque le foie ne peut plus accomplir sa tâche parfaitement, les humeurs s'acidifient. Il importe alors de régler d'une façon très précise l'alimentation du malade. Il faut lui interdire tous les aliments acides, les produits azotés, les légumineuses, l'excès de céréales, l'alcool et les boissons fermentées.

LES MÉFAITS DE L'ACIDE URIQUE

L'acide urique est l'un des déchets acides les plus dangereux qui circulent dans l'organisme. En effet il peut causer le rhumatisme, l'arthrite, l'arthrose, la goutte, les coliques néphritiques et hépatiques.

Nous venons de voir que le foie est le premier organe touché. Viennent ensuite les reins. Ceux-ci sont également vite saturés: c'est l'insuffisance rénale. On assiste alors à une auto-intoxication qui devient permanente. Pour renverser le processus, la méthode naturopathique s'impose et puisqu'il y a intoxication, il faut nécessairement recourir à la désintoxication.

Devant l'acidification progressive des humeurs par insuffisance hépatique et rénale, le mal ne peut que progresser. C'est ainsi que les muscles, les os (les articulations notamment) sont touchés. Les douleurs ostéo-articulaires font leur apparition. Elles sont d'abord vagues et mobiles. Elles se déplacent d'une articulation à l'autre puis se fixent à certains endroits précis. Les articulations encrassées par les déchets uriques provoquent des craquements, des rétractions, des raideurs, qui laissent présager de graves problèmes, tels le rhumatisme articulaire, aigu et chronique, les ankyloses, la goutte.

Le système musculaire sera également touché par l'atrophie. On assistera aussi à une déminéralisation de l'organisme qui doit neutraliser de fortes quantités de déchets acides. Les réserves alcalines diminueront considérablement. Il deviendra alors très difficile d'assimiler convenablement les aliments acides.

Même les aliments qui laissent un bon résidu alcalin, comme la plupart des fruits lorsqu'ils sont complètement mûris au soleil, ne peuvent être métabolisés normalement. C'est le cas des fraises, des tomates et autres fruits acidulés. Un organisme en bonne santé neutralise aisément les acides organiques et tire ensuite profit des substances alcalines qu'ils renferment. L'organisme saturé de déchets acides n'y parvient plus. Il doit déplacer ses bases alcalines en les prélevant surtout dans le système osseux, pour neutraliser les acides en excès.

L'acidification s'apparente donc à une corrosion brutale qui décalcifie tout le système osseux, brise les forces nerveuses et épuise l'organisme en l'affaiblissant considérablement.

La réserve alcaline manquant, tout le système digestif s'en trouve affecté, la transformation incomplète des aliments, mal digérés, comme d'autres substances toxiques, etc... Comme le foie est déjà depuis longtemps malmené et déficient, il ne peut plus neutraliser ces nouveaux déchets. C'est le cercle vicieux qui s'installe, l'organisme est de plus en plus saturé de déchets et de moins en moins capable de les éliminer.

Que faire alors? tout simplement renverser le processus! en d'autres mots, procéder à une bonne cure de désintoxication. Il faut alors alimenter l'organisme parcimonieusement, lui fournir en petites quantités des aliments qui ne laissent que très peu de déchets acides. C'est ce que nous appelons l'alimentation hypotoxique. Il faut aussi refaire les forces de l'organisme malade en insistant sur le repos. Il faut de plus favoriser le travail des émonctoires (intestins, reins, peau, etc...) pour assurer une meilleure élimination possible des toxines.

Voilà la seule façon d'apporter une solution valable au problème.

3

Le bon fonctionnement du foie et des reins

LE RÔLE DU FOIE:

"Aucun organe plus que le foie, peut-être, n'a le don, quand son jeu est déréglé, d'entraîner le désordre d'autres organes et d'autres systèmes dont la physiologie est directement ou indirectement liée à la sienne et inversement aucun n'est davantage exposé à recevoir le contrecoup de leurs dysfonctions."

Parturier.

Si le foie a une importance capitale lorsqu'il s'agit de maintenir la pureté de nos humeurs, il convient de savoir clairement comment on parvient à maintenir son bon fonctionnement.

Disons d'abord qu'il existe plusieurs aliments qui perturbent son fonctionnement normal. Tous les aliments riches en purines lui imposent une lourde tâche: Les viandes grasses, le poisson gras, les fritures, les sauces, le chocolat, le thé et le café, les légumineuses, les oeufs, etc. sont autant d'aliments qui peuvent surmener un foie déficient.

Un foie engorgé ne fonctionne jamais parfaitement bien. Sa fonction antitoxique en est altérée. Il laisse alors circuler dans le sang des substances qui normalement auraient dû être neutralisées.

La bile joue un rôle important dans la santé. En dehors des périodes de digestion, elle s'accumule dans la vésicule où elle est concentrée pour être ensuite déversée dans le canal cholédoque qui s'abouche avec la deuxième portion du duodénum (dans l'intestin). Elle participe à la neutralisation du chyme gastrique (transformation du bol alimentaire). La bile agit aussi sur la motricité intestinale. De plus, elle est dotée d'un pouvoir antiputride et anti-fermentatif. La bile contribue donc largement à la désintoxication de l'organisme.

La fonction antitoxique du foie est complexe. On sait que le foie détruit divers poisons en les modifiant ou en les retenant. Il neutralise aussi bien les poisons qui proviennent de l'organisme lui-même que ceux qui proviennent de l'extérieur.

Un régime alimentaire hypotoxique, le repos et l'exercice suffisant, l'utilisation de bouillottes d'eau chaude sur le foie, des tisanes et des draineurs appropriés peuvent permettre de régénérer la glande hépatique. Il faut parfois un certain temps avant que le foie ne retrouve son fonctionnement optimal, mais les soins naturopathiques lui sont toujours salutaires.

Tout ce qui vient d'être dit sur le foie vaut également pour les reins. Ceux-ci sont des organes dont le bon fonctionnement est absolument nécessaire à la santé. Les mêmes règles de vie qui favorisent la santé du foie s'appliquent à celles des reins. Rappelons-nous que l'organisme forme un tout indivisible dont chacune des parties bénéficie de l'intégrité de l'ensemble.

LE RÔLE DES REINS

On peut facilement comprendre l'importance des reins dans les manifestations de l'arthritisme. Les reins assurent un formidable travail d'épuration. Ils sont chargés de filtrer, de trier, de doser, d'éliminer ou de retenir les substances dissoutes dans notre sang. C'est dans la zone périphérique des reins que se trouvent les néphrons, sortes d'alambics minuscules. En les traversant, le sang se débarrasse d'une foule de déchets qui se transforment en urine.

On porte trop peu d'intérêt à la composition de l'urine. En s'y attardant, on peut découvrir une foule de choses sur le fonctionnement du rein, de même que sur le taux et les types de toxines que renferme l'organisme.

Le rein qui est un filtre nettoyant a donc pour rôle de maintenir la pureté du sang. Ce rôle est capital pour la santé. Si le rein fonctionne mal et ne filtre pas convenablement les déchets, ceux-ci demeurent dans la circulation sanguine et encrassent tous les tissus.

C'est aussi au rein que revient la tâche de régulariser le taux d'eau dans l'urine, permettant ainsi d'éviter l'hydratation excessive aussi bien que la déshydratation. Boire de trop grandes quantités de liquides surcharge donc le rein et l'empêche de bien remplir sa fonction.

L'urine peut être acide ou alcaline. Tout dépend de sa concentration en ions hydrogène (acides) ou en ions oxygène-hydrogène (base). Il faut savoir que l'organisme reçoit et fabrique des substances basiques ou acides qui tendent selon le cas à rompre l'équilibre acido-basique.

À l'exception de l'ammoniac produit par le rein, l'organisme reçoit toutes ses bases sous forme de sels organiques provenant des divers métaux trouvés dans les aliments végétaux consommés. Pour ce faire, l'organisme doit transformer les acides organiques de ces végétaux. Il y parvient facilement, s'il possède de bonnes réserves alcalines.

L'organisme produit aussi constamment des acides. Ce sont en réalité des déchets provenant du travail musculaire (acide lactique et autres) et du métabolisme des protides, des acides aminés et des nucléoprotéines. L'organisme reçoit aussi des acides provenant des aliments: l'acide acétique du vinaigre, les acides organiques des fruits acidulés, l'acide oxalique de la rhubarbe, du cresson, de la tomate, etc. Le sucre concentré est aussi générateur d'acide.

L'équilibre acido-basique conditionne l'état de santé. L'excès d'acide (acidose) ou l'excès de base (alcalose) indique un net fléchissement des défenses. Les infections se propagent en milieu acide. En réalité, on comprend facilement pourquoi: les déchets, non ou mal éliminés sont des substances acides qui intoxiquent l'organisme et le rendent vulnérable à la prolifération microbienne. Un sang trop acide est donc le signe d'un état d'intoxication avancé provoqué par l'accumulation de déchets.

L'organisme dispose de plusieurs moyens pour rétablir l'équilibre acido-basique du sang. L'un de ceux-ci est la modification du rythme respiratoire. En accélérant la respiration, on augmente l'élimination d'acide carbonique, en la ralentissant, on provoque la rétention d'acide par diminution des combustions.

C'est surtout en réglant correctement son alimentation qu'on parvient à établir l'équilibre acido-basique de l'organisme, mais l'ensemble du mode de vie y contribue également. Tous les autres moyens ne sont que des moyens de fortune, ce sont des cataplasmes physiologiques.

LES ALIMENTS RECOMMANDÉS

Les arthritiques peuvent et doivent boire du jus de carotte, de céleri et de pomme.

La carotte contient du carotène ou provitamine A, les vitamines du complexe B, la vitamine C, des métaux et des métalloïdes assimilables, (calcium, potassium, magnésium, soufre, cobalt, manganèse, sodium, brome, zinc, iode, arsénic, phosphate de fer, etc.) Elle contient aussi de la lécithine et de la glutamine. C'est un aliment reminéralisant.

Les sucres ou glucides naturels (dextrose, lévulose) que contient la carotte, font d'elle un aliment énergétique. La carotte améliore le fonctionnement du foie, elle fluidifie la bile, aidant ainsi au fonctionnement de l'intestin, de plus, elle réveille le péristaltisme, elle fortifie le sang, aide au fonctionnement des reins, stimule le mécanisme d'autodéfense, renforce les fonctions de cicatrisation et de reconstruction tissulaire (lésions intestinales), etc. Enfin elle permet de guérir les gastro-entérite et améliore l'état des vaisseaux sanguins.

Le céleri en branches (il faudra le choisir très vert) est riche en minéraux et en métalloïdes organiques, le manganèse, le magnésium, le sulfate de potasse, le cobalt, le cuivre, l'iode, le fer, l'acide phosphorique et les vitamines A, B, C, D. Le céleri cru régularise les fonctions rénales, surrénaliennes, stomacales; il tonifie, revitalise et calme les nerfs en les nourrissant, il régénère le sang et stimule le système endocrinien. **Il est fortement recommandé aux arthritiques.** Lorsqu'il est utilisé en jus, il est important de bien en doser la quantité, car il peut provoquer chez certaines personnes des maux de tête qui sont dus à la toxémie.

La pomme qui n'est ni un astringent ni un laxatif contient de nombreux minéraux: le calcium, le phosphore, le soude, le brome, le fer, le potasse, la silice, l'alumine, l'arsenic, le soufre, le sodium, le chlore.

Les pommes les moins acides sont les pommes jaunes délicieuses et les pommes-poires rouges.

La pomme désinfecte l'intestin, détruit les germes pathogènes infectieux: elle améliore la digestion, lave le foie, l'intestin, les reins; de plus elle augmente la diurèse, équilibre le pH sanguin, régularise et calme le système nerveux, revitalise les cellules. C'est aussi un sédatif. Enfin elle épure les humeurs et les circuits vasculaires.

Outre les jus de pomme et de céleri, les personnes souffrant de maladies arthritiques ou rhumatismales peuvent boire plusieurs autres jus ou mélanges tels que: le jus de carotte-concombre, carotte-pomme, carotte-navet, pommes jaunes-poivron vert, carotte-chou-pomme de terre. Cependant il faudra au début diluer les jus avec la même quantité d'eau de source.

Ces jus sont tous très importants dans la cure de désintoxication et de revitalisation de l'arthritique et du rhumatisant. Comparables à de bons engrais utilisés pour fortifier un sol, ces jus accélèrent le recyclage du terrain biologique. Ils constituent en quelque sorte un concentré ''maison'' de vitamines et de minéraux. Ils remplaceront avantageusement plusieurs suppléments alimentaires qui autrement devraient être absorbés sous forme de comprimés.

Les fruits oléagineux non grillés, comme les amandes, les noisettes, les pistaches et les noix, doivent être consommés en petites quantités, et au maximum, une fois par semaine.

Il faut faire cuire les pommes de terre avec leur pelure, à la vapeur, au four ou dans très peu d'eau. La pomme de terre convient très bien aux arthritiques. Idéalement, ces derniers devraient boire régulièrement du jus de pomme de terre et consommer la pomme de terre cuite mais non accompagnée de viande. Les légumes à faible teneur en hydrates de carbone sont: la carotte, l'artichaut, le navet, la betterave rouge, le céleri-rave, le céleri, l'ail, le concombre, le radis, la laitue (romaine, Boston, frisée), les haricots, le piment doux (poivron), le brocoli, l'aubergine, le chou de Bruxelles, la chicorée, le persil, le chou (cru), le pissenlit, le cresson, les endives, le navet.

Il faudra toutefois éviter la forte consommation de cresson et de betterave si des inflammations de vessie se sont déjà produites.

Les légumes suivants doivent être consommés légèrement cuits: haricots verts, aubergine, courgette, potiron, fenouil et brocoli.

Les sucres doivent être puisés dans les fruits à l'état naturel; ils sont alors facilement assimilables et provoquent moins de fermentation dans le système digestif.

Dans la préparation de certains desserts légers, on pourra utiliser du malt, du sirop de malt, du miel non pasteurisé, de la mélasse verte ''blackstrap'', du sirop d'érable, de la cannelle, de la muscade, de la vanille, etc...

Les boissons conseillées sont: L'eau naturelle ''Vittel grande source'', l'eau Mont Roucous, l'eau distillée (pendant un certain temps seulement), les jus de fruits et les jus de légumes faits à l'extracteur, le café de céréales, les infusions douces: fenouil, camomille, anis vert, anis étoilé, tilleul, verveine, fleur d'oranger et les boissons diurétiques et minéralisantes: ortie, prèle, persil séché, etc... celles qui ont des propriétés diurétiques et dépuratives: bouillon d'oignon, verge d'or, dent-de-lion (pissenlit), baies de genévrier, aubier de tilleul, etc...

Voici maintenant quelques exemples de menus:

Déjeuner (petit déjeuner)

Consommer surtout des fruits frais et mûrs, des jus frais préparés quinze minutes avant les repas: carotte (3 oz) ou 90 ml, céleri (2 oz) ou 60 ml, pomme (1 oz) ou 30 ml. Les quantités de jus pourront être augmentées, mais il faut toujours bien insaliver le jus. Manger aussi des graines de sésame (non décortiquées, broyées, des graines de tournesol accompagnées de yogourt maison ou de quark ou encore de fromage cottage 2% auquel on peut ajouter une compote maison et de l'huile de sésame ou de lin (½ à une cuillerée à thé (2,5 à 5 ml).

Pour les personnes qui sont en cure de désintoxication, le déjeuner sera constitué uniquement de fruits frais, de céréales chaudes de millet, (aromatisées chez soi) ou de galettes de riz tartinées de beurre de sésame.

Voici quelques choix de pain grillés:
— Blanc d'antan (C'est le pain de "transition" convenant bien aux personnes allergiques au gluten).
— maïs.
— Sans sucre et sans gras, au blé entier.
— Pain au levain neutralisant l'effet nocif de l'acide phytique du blé qui empêche la bonne assimilation de plusieurs petits minéraux dans l'intestin.
— Crêpe de sarrazin (servie avec fruits et fromage cottage).

Dîner: (déjeuner)

Jus de carotte, de céleri et pomme (la "délicieuse") ou tout autre jus suggéré précédemment. Manger de la viande blanche (poulet de grain) ou du poisson frais ou congelé, bouilli ou cuit au four. Ne pas consommer beaucoup de gras provenant d'animaux ou d'huiles de friture. Un repas de viande doit toujours être accompagné d'une salade de légumes crus.
— Rôti de veau dégraissé ou veau dégraissé sous toutes ses formes.
— Côtelette ou gigot d'agneau dégraissé.
— Dinde dégraissée (ne pas manger la peau, ni de poulet B.B.Q.).
— Mouton dégraissé, lièvre dégraissé, poulet de grain.
— Plat végétarien (sans avoine et sans lentilles).

Dessert:

Fruit frais, compote de pomme, gélatine "maison" faite de jus de fruit et d'agar-agar (gélatine d'algues marines), tapioca au miel, tisane recommandée.

N.B.

Dans la préparation des desserts, éviter l'utilisation de sucre blanc ou brun. Consulter des livres de desserts offrant des recettes constituées d'ingrédients sains, naturels et peu caloriques; de préférence, manger les fruits comme entrée plutôt qu'au dessert.

Souper: (dîner)

— jus de légumes, carotte, céleri, pomme, à prendre quinze minutes avant les repas et bien insalivé.

— Soupe maison dégraissée, constituée de plusieurs légumes doux (carotte, céleri, oignon, courgette). Éviter le bouillon de boeuf et les cubes de bouillons très salés.

N.B. Ajouter de la levure alimentaire à la soupe avant de servir. Les légumes ne doivent pas être trop cuits, mais plutôt croquants.

Voici une liste des légumes diurétiques qu'on peut ajouter à la soupe: oignons, panais, poireaux, navet, céleri, persil, citrouille, courge et courgette.

On pourra servir les plats suivants: riz brun naturel, orge, millet, fève de lima, modérément assaisonnée de fines herbes, oignon, persil et huile naturelle, plat aux oeufs une à deux fois par semaine, si bien digéré; consulter des livres de recettes végétariennes).

Dessert:

Fruits nature, purée de fruits ou salade de fruits, compote de fruits, gélatine maison. (Il serait toutefois préférable de consommer ces desserts entre les repas), tapioca ou autre dessert léger. Tisane dans la soirée.

Quelques conseils fondamentaux et pratiques:

Il est préférable de manger la salade au début des repas. Mastiquer à fond. Éviter de grignoter des bonbons, des biscuits, ou autres aliments entre les repas. Éviter les fruits acides.

Pour la composition de vos salades, vous pouvez choisir parmi les légumes suivants: endive, laitue, persil, laitue romaine (boston ou frisée), cerfeuil, carotte, cresson (modérément), chou, navet cru, céleri, chou-fleur (modérément), chou de Bruxelles, courgette, concombre, fenouil, chou chinois, escarole. La salade comprendra aussi un peu de ciboulette, d'oignon, d'échalotte ou d'ail.

Éviter le sel, le poivre et le vinaigre que l'on remplacera avantageusement par le ''petit lait'' et on utilisera régulièrement des aromates qui favorisent la digestion tels que: romarin, thym, graines de céleri, etc...

Employer des huiles vierges de première pression à froid, sources de vitamine F.

Remplacer le pain blanc par le pain de blé entier (ou le pain de maïs etc…), le riz blanc par le riz brun, remplacer la farine blanche par la farine de blé entier à pâtisserie.

Il faudra veiller à manger dans une atmosphère de détente.

Tout ce que nous avons dit jusqu'ici permet maintenant au lecteur de mieux comprendre la genèse des manifestations arthritiques. Nous savons qu'elles résultent d'une accumulation de déchets dans l'organisme, principalement de type urique, d'une mauvaise digestion, d'une mauvaise élimination, d'une alimentation acidifiante et pauvre en vitamines et en minéraux, sans oublier les facteurs "stressants" et l'hérédité.

Je vous suggère de consulter le livre de Johanne Verdon-Labelle, N.D.: **"SOIGNER AVEC PURETÉ"** publié aux Éditions Fleurs sociales.

Vous y trouverez également une liste d'aliments qui habituellement laissent des résidus acides chez les personnes carencées en sel minéraux alcalin; ainsi qu'une foule de renseignements sur les premiers soins naturopathiques.

Voici également une liste d'aliments autres que les produits laitiers, qui fournissent du calcium: brocoli (200 mg par tasse), navet (rutabaga), mélasse verte, graines de sésame non décortiquées (broyées), orge, amande, chou vert (cru), algues, figues (80 mg dans deux figues séchées), etc. Ces aliments doivent se retrouver régulièrement dans le régime alimentaire des personnes de tempérament neuro-arthritique. Pour être bien assimilé, le calcium doit trouver dans l'organisme les vitamines A et D ainsi que du magnésium et de la silice (Voir chapitre: la minéralothérapie).

La vitamine A et la carotène (provitamine A) sont présentées dans plusieurs aliments et suppléments: carotte, navet, panais, poivron, artichaut, chou, maïs, abricot, persil, pomme de terre sucrée, pêche, citrouille, huiles de foie de poissons (morue, flétan).

Quant à la vitamine D, notre organisme la fabrique à partir du soleil qui en constitue notre principale source.

Un dernier point: il importe de bien combiner les aliments pour bien les digérer afin que les sels minéraux ne forment pas en présence de certains acides des "précipités" nocifs qui risquent de se déposer dans l'organisme et de l'intoxiquer.

Ne pas consommer entre autres au cours du même repas:
— viande et fromage.

— viande et pain.
— viande et nouilles.
— viande et pomme de terre.
— nouilles et vinaigrette.
— vin et fromage gras.
— produits laitiers, sucre et farineux.
— viande, sucre et produits laitiers.
— oeufs et fromage.
— noix et fromage.
— nouilles, pain et fromage.
— café ou thé et produits laitiers et autres boissons.
ainsi que toutes les combinaisons d'aliments que doivent éviter les arthritiques et les rhumatisants (Voir ''Les aliments à éviter'', page 49).

4

Les méthodes naturopathiques

Les différentes phases des insuffisances rénales, hépatiques, intestinales et pulmonaires engendrent l'encrassement humoral causé à la fois par l'accumulation de déchets et des résidus provenant du métabolisme (cristaux, colles) mais aussi des poisons engendrés par les facteurs stressants. Évidemment, l'acidité fait partie intégrante de cet encrassement et reste le principal ennemi de l'arthritique. Il est primordial de purifier nos humeurs (sang, lymphe, liquide cellulaire).

Il n'existe qu'une solution vraiment efficace: l'élimination des surcharges par tous les moyens possible. La naturopathie s'attaque donc à la cause profonde et première de toutes les maladies arthritiques:
1 - par des cures de drainage (désintoxication).
2 - par la compensation des carences.
3 - par la correction du stress.
4 - par l'équilibre des échanges (stabilisation).

C'est le sens profond de cette réfection du terrain, qui est le but de la thérapeutique naturopathique. Le naturopathe ne fait pas de diagnostics, il ne s'occupe pas du tout de la cause apparente des maladies de l'arthrite. En d'autres mots, le naturopathe n'attaque pas les symptômes mais il essaie d'adopter les moyens appropriés pour:
a) rectifier ou supprimer les causes des souffrances et des troubles du patient.
b) lui fournir les matériaux et les conseils nécessaires pour qu'il retrouve son équilibre.

Car la guérison est un phénomène interne, vital, physiologique, biologique. Elle est inhérente à la vie et contrôlée par les lois naturelles.

La naturopathie s'occupe uniquement de l'importance de la masse vivante (vitalité) à cultiver et à développer en présence de la masse morte, à expulser (déchets). C'est le rapport de ces deux masses qui détermine son champ d'action et ses modalités d'application. Donc il cherchera à épanouir au maximum la partie saine, c'est-à-dire la vitalité.

Donc le but de la naturopathie est surtout d'enrayer la maladie qui commence ou celle qui se forme, en favorisant le développement au maximal des immunités naturelles (vitalités) et la pureté des tissus.

La naturopathie:

Toutes les atteintes à la santé, qui se manifestent surtout par des affections douloureuses, ankylosantes et déformantes, comme les raideurs et les douleurs articulaires, la goutte, le rhumatisme chronique, les arthroses et les arthrites, ont pour caractère commun de résulter de l'insuffisance du métabolisme de certains aliments.

Ces aliments plus ou moins transformés sont les protides, (protéines), ceux qui contiennent outre l'oxygène, l'hydrogène, le carbone et l'azote. L'intoxication à l'azote est très fréquente, parce que dans le métabolisme des protides qui est plus complet que les autres, l'albumine, les aliments azotés demandent plus de temps de transformation que dans le métabolisme des lipides (graisses) et des sucres (glucides).

Lorsque l'alimentation d'une personne comporte beaucoup plus de protides qu'il n'est nécessaire, il y a accumulation et le surplus s'accumule sous forme de déchets azotés comme l'urée, les urates et l'acide urique, qui ne peuvent être utilisés par les organes et qui ne s'éliminent pas facilement.

En fait, le traitement naturopathique des rhumatismes ou de l'arthrite comprend:
1) Une nourriture saine, équilibrée, naturelle.
2) La phytothérapie (L'utilisation thérapeutique des plantes).
3) La minéralothérapie.
4) La vitaminothérapie.
5) L'utilisation thérapeutique des oligo-éléments.
6) L'alternance d'exercices et de repos.
7) Le bon fonctionnement des émonctoires, par des draineurs appropriés.
8) L'hydrothérapie chaude.
9) L'élimination progressive des différents facteurs stressants.
10) Le recours occasionnel à l'homéopathie qui comprend l'organothérapie, la gemmothérapie et la lithothérapie.

Les principaux facteurs alimentaires influençant le développement de l'arthrite et du rhumatisme seront expliqués dans le présent chapitre, afin de vous aider à mieux comprendre l'effet des acides dans le corps. Pour que ces acides soient neutralisés, ils doivent mobiliser les sels calcaires des os et des dents, ce qui donne des dépôts pathologiques dans les zones périarticulaires et les émonctoires comme par exemples, les lithiases biliaires et rénales (boue, gravelle, calcul, pierre).

Du point de vue naturopathique, il faut donc bien s'attarder à comprendre la cause de la maladie, non pas uniquement la variété des manifestations.

Les intestins fabriquent des fermentations qui causent des acidités dangereuses. Le foie aussi produit de l'acidité à partir de différents produits qui sont de véritables poisons pour le système. La fermentation intestinale favorise le pullulement des différentes variétés de bactéries qui transforment le milieu alimentaire en un véritable bouillon de culture. D'ailleurs les biologistes Gilbert et Dominici étudièrent le phénomène et démontrèrent que l'alimentation est source d'un nombre considérable de germes dans l'intestin. On n'en dénombre jusqu'à 67.000 par mm de matière, d'où la nécessité de toujours manger une salade avant les viandes rouges, sans quoi il y aura apparition d'acides provoqués par ces fermentations comme les acides butyrique, acétique, lactique, valérique, oxalique qui à leur tour vont aggraver la fermentation toxique des matières azotées.

L'excès initial d'azote favorise le développement de l'acidité du milieu et, par réaction, l'acidité du milieu produit les complications toxiques. C'est le point de départ de l'arthrite: le fonctionnement des organes comme le foie, les intestins et les reins devient insuffisant pour permettre d'éliminer ou de détruire correctement les toxines.

LES ALIMENTS À ÉVITER:

"Le rhumatisant, l'arthritique, c'est "un monsieur qui a bien vécu", souvent, mais non vécu sagement. Il aime la bonne chère: il mange abondamment."

André Passebecq.

Nous savons que tout ce qui tend à acidifier l'organisme est nocif. Or, on a remarqué que les régimes surchargés engendraient en général beaucoup d'acidité. Une suralimentation globale semble dévier le métabolisme vers la synthèse d'acide urique. La chose se comprend d'ailleurs assez facilement. En surchargeant les organes digestifs, on s'oppose à leur bon fonctionnement. Le foie et les reins n'arrivent plus à accomplir leur tâche normalement. Ils négligent alors de neutraliser et d'éliminer tous les déchets présents, ce qui entraîne une accumulation de toxines dans l'organisme. Par conséquent, la première règle à suivre dans le traitement des manifestations arthritiques est d'éviter systématiquement toute suralimentation. Une personne obèse, souffrant d'arthrite, de rhumatisme, d'arthrose, de goutte, etc..., doit nécessairement se résigner à maigrir si elle veut véritablement se guérir. C'est là une condition essentielle.

On rencontre souvent des personnes maigres qui pourtant se suralimentent. La suralimentation n'est pas obligatoirement synonyme d'obésité. Certaines personnes demeurent maigres, même en mangeant beaucoup. Ce sont des personnes qui assimilent peu les aliments. Ceux-ci, cependant, laissent dans leur organisme des quantités considérables de déchets. Pour les mêmes raisons que les obèses, ces personnes doivent éviter la suralimentation si elles désirent se guérir de leurs troubles arthritiques. Gras ou maigre, il faut éviter de trop manger lorsqu'on souffre d'arthritisme. Cette règle vaut d'ailleurs pour tout le monde et constitue l'un des bons moyens de prévenir ce type de maladie.

La deuxième règle à suivre porte sur le choix des aliments. La guérison de l'arthritisme implique la suppression de certains aliments et suppose une consommation modérée de certains autres aliments. Les aliments riches en purines doivent être à peu près complètement supprimés. Plusieurs aliments renferment des nucléoprotéines qui contiennent des bases puriques dont une forte partie se transforme en acide urique dans l'organisme.

LES ALIMENTS PROTÉINÉS:

"La nature est un grand médecin et ce médecin, l'homme le possède en lui."

Paracelse.

Toutes les atteintes à la santé se manifestant par des affections douloureuses, ankylosantes et déformantes, comme les raideurs et les douleurs articulaires, la goutte, le rhumatisme chronique, les arthroses et les arthrites, résultent principalement d'un mauvais métabolisme de certains aliments.

Ces aliments plus ou moins bien transformés sont les protéines. Celles-ci, on le sait, contiennent de l'azote en plus de l'oxygène, de l'hydrogène et du carbone.

Ce n'est pas sans raison que les protéines représentent une cause d'intoxication considérable. Le métabolisme des protéines est plus compliqué et se réalise plus difficilement que celui des lipides (graisses) ou des glucides (sucres), comme je l'ai déjà mentionné et l'organisme doit donc fournir plus d'efforts pour métaboliser les protéines.

Contrairement à ce que l'on pense généralement, les quantités de protéines nécessaires pour maintenir l'intégrité de la structure humaine sont relativement faibles. Souvent l'alimentation apporte beaucoup plus de protéines qu'il n'est nécessaire; il y a alors une accumulation de déchets azotés comme l'urée, les urates, l'acide urique. Ces déchets sont difficiles à éliminer, ils encrassent toujours l'organisme et sont à la base des manifestations arthritiques. Rappelons que les principales sources de protéines sont: les viandes, les oeufs, les produits laitiers, le poisson, les noix, le tofu et certaines combinaisons d'aliments dont les acides aminés forment des protéines complètes.

Les aliments suivants sont à éviter:

— La charcuterie: le saucisson, le pâté de foie, les tripes, le boudin, le jambon, le porc, les conserves.

— Les graisses animales: les viandes grasses, les graisses cuites, les huiles cuites, les sauces grasses, le beurre.

— Les bouillons de viande: les viandes gélatineuses.

— Toutes les formes de fritures: les viandes fortement grillées, sur charbon de bois.

— Les abats: les rognons, le foie, les reins, le coeur.

— Les coquillages, mollusques, moules, écrevisses, homards, langoustes, escargots, crustacés.

— Quelques poissons tels que: sardine, anchois, hareng, caviar, anguille, thon à l'huile, saumon.

— Les produits laitiers comme le beurre (en excès), les fromages gras, le lait. Certains arthritiques tolèrent bien le fromage quark et le cottage à 2%.

— Les oeufs: pas plus de deux à quatre par semaine.

— La farine et le riz blanc, car ces aliments ont presque tout perdu leurs éléments nutritifs.

— Les céréales: le riz brun, le millet, le tapioca et le sarrasin peuvent être consommés, mais éviter l'avoine et manger le blé et le seigle avec une grande modération.

— Les végétaux riches en acide oxalique tels que: l'oseille, le jus de tomate, les épinards, les asperges, les champignons, les tomates doivent être évités.

— Les légumineuses contenant des purines méthylxanthines: les pois, les lentilles, les fèves, le soya, les pois cassés etc. Les arthritiques durant la cure de désintoxication et de revitalisation doivent éviter ces aliments.

— Les pâtisseries contenant des oeufs, du lait et du sucre.

— Les boissons alcoolisées.

— Les potages gras: soupes de poissons, bouillabaisse.

— Les hors-d'oeuvre de charcuterie.

— Les fruits oléagineux gras: noix du Brésil, acajou, Grenoble, pacanes, les amandes et les noisettes peuvent être consommées.

— La crème glacée, la crème fouettée et les beignets.

— Toute les sauces grasses: mayonnaise (avec modération), beurre noir, sauce tartare.

— Les eaux gazeuses, les vins de Bourgogne, les vins blancs, le cidre.

— Les boissons gazeuses, le thé, le café, le chocolat, le cacao ne sont pas recommandés; à cause de leur teneur en purines, ce sont de véritables poisons pour les arthritiques.

— Le vinaigre blanc, le poivre, le sel, la moutarde, et les épices sont à éviter ainsi que le tabac qui est formellement interdit.

Les arthritiques doivent éviter les fortes concentrations de purines.

Voici un tableau montrant par ordre décroissant la concentration de purines de certains aliments.

Aliments d'origine animale:

Extraits de viande azotés, ris de veau, sardines à l'huile, foie, sole, porc, poulet, homard et fromage.

Aliments d'origine végétale:

Thé, cola, cacao en poudre, café torréfié, lentilles, avoine, pois verts, épinards, asperges, champignons.

D'autres aliments renferment seulement quelques purines et peuvent être consommés plus libéralement. Ce sont les oeufs, le caviar, la gélatine et le beurre. Les aliments qui sont à peu près dépourvus de purines sont les suivants: le lait, le fromage, les céréales, le miel, tous les fruits, les légumes (à l'exception de ceux qui ont été mentionnés plus haut) et la question des purines est primordiale puisque ces substances se transforment en acide urique dans l'organisme et que cet acide est directement relié aux manifestations arthritiques.

Cependant d'autres facteurs restent à considérer; c'est le cas tout spécialement des aliments qui laissent des résidus acides dans l'organisme.

LES ALIMENTS À RÉSIDUS ACIDES ET ALCALINS.

''Que sont en effet ces quantités d'urée et urates qui encombrent les humeurs? des résidus, des cendres d'aliments azotés dont la combustion n'a pas été complète.''

Dr. J.E. Ruffier.

La composition chimique des aliments détermine le type de résidus qu'ils laissent dans l'organisme. On peut simplifier la question en disant tout simplement ceci: ce sont le sodium, le calcium, le magnésium et le potassium qui contribuent à rendre un aliment alcalin, alors que le soufre, le carbone, l'azote, le chlore et le phosphore en favorisent l'acidité.

Tous les aliments renferment, dans des proportions plus ou moins grandes, l'ensemble de ces éléments. Or, ce qui fait qu'un aliment laisse des résidus acides plutôt qu'alcalins, c'est tout simplement la prédominance des éléments acidifiants sur les éléments alcalinisants.

L'arthritisme est un état dans lequel les humeurs du malade sont déjà acidifiées. On comprend alors l'importance de mettre surtout l'accent sur les aliments alcalinisants.

Des recherches minutieuses dans l'analyse chimique des aliments ont permis de connaître leur composition avec exactitude.

Voici une synthèse des résultats de ces analyses.

Les céréales, spécialement le blé, le maïs, l'avoine, le seigle et le germe de blé laissent des résidus acides. Tous les produits à base de céréales (pain, gâteaux, pâtes alimentaires, biscuits, etc., laissent aussi par conséquent des résidus acides. Lorsqu'on consomme des céréales ou des produits qui en dérivent, on tend à acidifier son organisme. Les personnes souffrant de manifestations arthritiques réduiront donc cette catégorie d'aliments. Toutefois le riz, le millet et le tapioca, laissent des résidus alcalins ainsi que le sarrasin et l'orge.

Toutes les viandes, quelle que soit leur provenance, toutes les chairs animales, laissent des résidus acides. Entendons ici les viandes rouges ou blanches, les charcuteries, la viande de gibier à poil ou à plumes, la volaille, le poisson, les crustacés et les mollusques. Comme beaucoup de ces aliments renferment aussi de fortes quantités de purines, il convient d'en modérer la consommation le plus possible, surtout au début du traitement naturopathique où l'on vise à désintoxiquer et à désacidifier l'organisme.

Le lait, le petit lait, la crème, le yogourt laissent des résidus alcalins dans l'organisme (à condition d'être bien digérés). Par contre le beurre, les fromages gras et les oeufs laissent des résidus acides.

Les légumes et les fruits, à l'exception des arachides, des noix du Brésil, des asperges, du kiwi, du cresson, des olives vertes, et des légumineuses (haricots, lentilles, etc...) laissent des résidus alcalins.

Toutefois, les agrumes qui ne sont pas complètement mûris au soleil peuvent laisser des résidus acides ainsi que les tomates (surtout celles qui n'ont pas mûries au soleil), et dans certains cas, les petits fruits ne seront pas toujours bien tolérés. Les mayonnaises, le vinaigre, les levures, le chocolat, de même que le sucre blanc laissent des résidus acides.

Notre troisième règle alimentaire (la première, rappelons-le, consiste à manger peu et la seconde à éviter les aliments riches en purines) prescrit donc de consommer surtout des aliments qui laissent des résidus alcalinisants.

"Les fruits acides sont interdits parce qu'ils déminéralisent et parce qu'ils décalcifient les os et les dents. Chez les arthritiques, les acides sont incomplètement brûlés au cours de la digestion et passent dans le sang. L'organisme, par défense naturelle, arrache aussitôt des bases minérales aux tissus du corps, aux os et aux dents, ce qui produit une dégradation minérale et une baisse de résistance à la fatigue et aux infections.''

Dr. Paul Carton.

Un aliment, un fruit notamment, peut présenter un pH acide et laisser des résidus alcalins. **Cela est possible lorsque l'organisme possède suffisamment de réserves alcalines pour neutraliser complètement les acides organiques contenus dans le fruit. Une fois les acides neutralisés, l'organisme tire profit des substances alcalines contenues dans les sels minéraux du fruit. Mais si les réserves alcalines sont pratiquement inexistantes, comme c'est nécessairement le cas chez les arthritiques et les rhumatisants, alors il ne leur est plus possible de neutraliser complètement les acides organiques. Ceux-ci passent donc directement dans le sang et l'acidifient. Or, comme le sang doit maintenir constant son degré d'alcalinité, l'organisme doit puiser dans les os et les dents pour fournir au sang les substances alcalines nécessaires.**

Les fruits peuvent donc déminéraliser l'organisme, chez les personnes dont l'organisme est déjà acidifié. Par contre, chez les personnes normales, ces aliments constituent une bonne source de minéraux.

Les personnes qui souffrent d'arthritisme n'ont pas le choix: elles doivent éviter les fruits acides. Toutefois, au fur et à mesure que leur désintoxication se produira et que leurs réserves alcalines augmenteront, elles pourront réintroduire progressivement les fruits dans leur alimentation.

Voici une liste qui vous permettra de choisir vos fruits en fonction de votre état. Les fruits qu'il convient d'éviter lorsqu'on souffre d'arthritisme sont présentés en ordre décroissant selon leur taux d'acidité:

Citron, lime, grenade, ananas, pamplemousse, orange, prune, fraise, bleuet, raisin, framboise, mûre, cerise, nectarine, tangerine, clémentine, abricot, tomate.

Voici maintenant une liste de fruits moins acides qui peuvent être consommés en quantités raisonnables (se souvenir qu'un fruit doit être mûr pour être profitable à l'organisme):

Banane, datte, figue, melon d'eau, avocat, cantaloup, pomme douce délicieuse, melon miel, poire, pêche, (mûre en saison).

Les légumes verts et les légumes racines ont un degré d'acidité inférieur à celui des fruits. Ils conviennent parfaitement bien aux arthritiques et aux rhumatisants. Aussi, ceux-ci doivent-ils consommer régulièrement de bonnes salades à base de laitue, de chou cru, de céleri, de persil, de carotte, etc. En effet ces légumes laissent de bons résidus alcalins dans l'organisme en même temps qu'ils possèdent un faible degré d'acidité.

LES ALCALOÏDES:

"la caféine ou la théine est un poison narcotique dont l'usage est mortel dans des doses autres que petites. Même en petites doses, son usage continuel produit des effets pernicieux."

Dr. Georges R. Cléments.

Consommer de bons aliments alcalinisants constitue certes l'une des conditions essentielles au rétablissement de l'arthritique. Mais ce n'est pas tout. Il faut aussi éviter certaines substances particulièrement nocives. Les alcaloïdes sont de celles-là.

Lorsque nous avons parlé de purines, nous avons mentionné le café, le thé, et le cacao. Bien que les purines de ces substances ne semblent pas se transformer en acide urique dans l'organisme, croyons-nous, elles n'en représentent pas moins un grand danger.

Le café contient un alcaloïde appelé caféine. Une tasse de café en renferme 3,5 mg. La caféine est une drogue qui provoque l'accoutumance. On estime qu'il faut à l'organisme pour éliminer de quatre à cinq jours pour éliminer complètement les substances toxiques d'une seule tasse de café.

La caféine du café, la théophylline du thé et la théobromine du cacao sont des substances qui acidifient fortement l'organisme. Elles intoxiquent les humeurs et empoisonnent littéralement le corps.

Ces alcaloïdes forcent l'organisme à éliminer son calcium et dégradent le système nerveux en l'irritant considérablement. Ils jouent aussi un rôle néfaste au niveau des muscles. La caféine, par exemple, produit de l'acide lactique et intoxique aussi toute la musculature. Pour le rhumatisant, cela ne peut qu'augmenter ses douleurs.

Toutes les personnes aux prises avec des manifestations arthritiques ont avantage à éliminer tous les alcaloïdes de leur alimentation: thé, café, chocolat, colas sont autant de substances qui nuisent à l'organisme. Même en bonne santé, il est préférable d'éviter les alcaloïdes. Dans la maladie, cela s'impose.

LES ALIMENTS FORMATEURS D'ACIDE URIQUE:

Les nucléoprotéines appartiennent à la classe des protéines conjuguées. Ce sont des composés qui renferment une ou plusieurs molécules de protéines combinées à un acide nucléique. Les nucléoprotéines sont les plus importants des protides composés parce qu'elles sont le siège et l'agent de multiplication des cellules par lesquelles les tissus, donc l'organisme, se reproduisent, s'accroissent, se réparent et se renouvellent continuellement.

Donc s'il est vrai que les protides d'origine animale présentent des avantages incontestables, il ne faut pas oublier que leur consommation excessive présente des inconvénients. Ce sont des substances fortement génératrices d'acides par le soufre et le phosphore qu'ils contiennent et d'autre part dans l'intestin, ils sont l'objet de putréfactions bactériennes génératrices de produits toxiques.

Dans l'intestin, les nucléoprotéines sont dédoublés par le suc pancréatique en acide urique et en protéines. L'acide urique est décomposé en nucléotides puis en nucléosides, sous l'influence d'enzymes qui se trouvent à la fois dans la muqueuse et dans le sac intestinal.

C'est sous forme de nucléosides qu'ils sont absorbés par les capillaires de la veine porte et qu'ils arrivent au foie. Un nucléoside est constitué par l'association d'un sucre (pentose) et d'une base azotée (purique ou pyrimidique).

Voici comment le catabolisme de ces corps se développe:

Les bases puriques (guanine et adénine) donnent naissance, après désamination à la xanthine et à l'hypoxanthine qui à leur tour, sous l'action d'une oxydase, donnent de l'acide urique. Ce dernier passe ensuite dans le sang pour être éliminé par le rein. **Donc, l'acide est le produit final le plus important fourni par l'oxydation des purines dans l'organisme.** Il provient non seulement des nucléoprotéines de l'alimentation, mais aussi de la dégradation des nucléoprotéines cellulaires.

L'acide urique existe normalement dans le sang. Suivant la composition du milieu sanguin, et selon la concentration des urates, ceux-ci peuvent se précipiter dans l'organisme, et l'expression la plus typique de cette précipitation est le thophus qui contient en moyenne 63% d'acide urique et 10% de cholestérol. Le débit de l'acide urique dans l'urine augmente au cours de la leucémie, de la maladie de foie avancée et aux différentes phases de la goutte diront les traités de biochimie.

Donc encore une fois, nous ne le répéterons jamais assez dans tous les genres d'arthrite, de rhumatisme etc., le foie et les reins doivent être traités de façon très efficace afin qu'ils puissent éliminer les déchets des intestins et des poumons.

Les médecins qui ne se préoccupent pas de l'alimentation ne défendront jamais à un patient de boire du café, du thé, du cacao, et des boissons gazeuses à un arthritique. C'est malheureux car ces produits contiennent des substances qui sont réellement néfastes voire dangereuses pour l'arthritique. Nous allons maintenant démontrer pourquoi ces substances sont toxiques.

Le café:

Le café est un triéthylxanthine, qui appartient aux groupes des purines. Il ne faut pas oublier que plusieurs savants ont prouvé scientifiquement que les substances d'une seule tasse de café prenaient de 4 à 5 jours avant d'être éliminées du corps. Alors même si une personne en consomme seulement une tasse par jour, inévitablement il se créera une accoutumance. Une bonne tasse de café contient 3,5 mg de caféine, deux tasses de café représentent 7 mg de caféine. La caféine étant considérée comme une drogue et en plus, elle est celle qui provoque la plus grande accoutumance, tandis que les xanthines se répartissent dans toutes les parties du système nerveux. C'est pourquoi les grands buveurs de café sont des gens très nerveux.

Lorsque le foie est engorgé, il n'arrive plus à détruire les xanthines qui sont des purines. C'est alors qu'il fabrique de l'acide urique.

Les produits dérivés des purines sont:
— Adénie — aminopurine.
— Guanine — aminaxypurine.
— Hypoxanthine — oxypurine xanthine — dionypurine.
— Caféine — trimithyl dioxypurine.
— Acide urique — trioxypurine.

Ces bases donnent les mêmes corps que l'acide urique et en plus de l'acide formique.

Avec des données, nous revenons à notre point de départ à savoir que le café, le thé et le cacao sont des substances hautement toxiques. Ils sont tous trois dérivés de la xanthine.
Café: caféine 1, 3, 7 — Triméthylxanthine.
Thé: théophylline: 1, 3 — Diméthylxanthine.
Cacao: théobromine: 3, 7 — Diméthylxanthine.

Voici une définition du mot xanthine: produit dérivé de l'urée (présent dans le sang) qu'on trouve dans l'urine, certains calculs, le cerveau, le foie, les muscles, le pancréas, la rate. À cause de leur très forte toxicité, les xanthines empoisonnent le corps littéralement, et par leur présence dans différents organes, augmentent dangereusement leur concentration dans l'organisme. Les organes ne peuvent résister longtemps à leurs attaques.

H. Schmitt dira au sujet des xanthines dans le livre: ''Les éléments de pharmacologie.''

''Les xanthines excitent toutes les parties du système nerveux central et en particulier le cortex cérébral et le bulbe. Elles excitent les centres spinaux, elles sont facilement absorbées par le tractus gastro-intestinal. Elles se répartissent dans l'eau de tous les tissus, y compris le liquide-céphalo-rachidien. Les xanthines, et surtout la caféine, provoquent l'accoutumance. Leur privation s'accompagne d'irritation et de nervosité. La caféine est la plus toxique.''

Il est bien évident que le café est un poison pour le corps humain, qu'il y produit de l'acide urique, parce qu'il appartient au groupe des purines.

Même le Larousse médical signale les contre-indications: "enfance, arthritisme, mal de Bright, nervosisme, hypertension".

Le café force l'organisme à éliminer son calcium, dégrade et irrite tous le système nerveux qui a tant besoin de calcium pour son bon fonctionnement. Les mélanges qui produisent de l'acide urique tels que le café au lait, le chocolat au lait, le thé au lait, etc…, sont formellement interdits aux arthritiques.

L'action diurétique du café tient à sa propriété d'augmenter l'acide urique que les reins doivent par la suite éliminer. Mais cette action ne s'exerce pas sans fatigue et sans l'altération des cellules rénales.

Le thé:

Le thé est aussi néfaste pour la santé que le café: nous avons vu qu'il était du groupe xanthine. Le thé contient de la théine, un isomère de la caféine qui en possède les mêmes propriétés physiologiques. Le Larousse médical dira que: "le thé contient du tanin, de l'acide gallique et une proportion assez forte d'oxalate de potasse."

Au sujet des contre-indications, le Larousse précisera: Névropathies cardiaques, à cause de l'excitation excessive, goutte et lithiase rénale, en raison de l'abondance de l'oxalate." Le tanin appelé tannique, a la propriété de précipiter les solutions d'albumine. Il possède une réaction acide.

Le chocolat:

Voici la définition du chocolat telle que donnée par le Larousse médical:

"Le chocolat est un aliment nourrissant sous un petit volume (16 g, suffisent pour une tasse de lait chaud). Mais l'abondance de graisses le rend d'une digestion difficile, il est constipant. Il n'est pas indiqué chez les arthritiques, les rhumatisants, les lithiasiques et les hépatiques." Le chocolat est aussi dangereux que le café et le thé pour les arthritiques et les rhumatisants.

En résumé, l'acide urique est le produit final le plus important fourni par l'oxydation des purines dans l'organisme. Il provient non seulement des nucléoprotéines de l'alimentation, mais aussi de la dégradation des nucléoprotéines cellulaires. Le débit de l'acide urique dans l'urine augmente au cours de la maladie du foie avancée, ainsi qu'aux différentes phases de la goutte et de l'arthrite.

Divers tissus, particulièrement le foie, contiennent des systèmes enzymatiques semblables à ceux qui existent dans l'intestin et qui sont responsables de la digestion des acides nucléiques.

Chez un individu normal, la quantité appelée "réserve soluble" correspond en moyenne à 1,1131 mg d'acide urique. L'individu normal produit de 500 à 580 mg d'acide urique par jour et environ 20% de l'acide urique perdu dans l'organisme n'est pas excrété tel quel mais l'est après dégradation chimique. L'acide urique est si peu soluble que à la longue, il a tendance à se précipiter dans l'urine acide. Cette propriété de l'acide urique peut aussi expliquer la tendance des arthritiques, des goutteux à produire des calculs rénaux.

Les urates, sels alcalins de l'acide urique, sont beaucoup plus solubles; la cause première se trouve au niveau des tubules rénaux qui assure mal le transport enzymatique des urates (sécrétion). En fait, le mauvais fonctionnement rénal caractérisé par un pouvoir de filtration diminué est chose courante. Dans ce cas, il y a accumulation d'acide urique et de beaucoup d'autres produits cataboliques. Il y a alors trop d'acide urique à éliminer, c'est pourquoi surviennent, de temps à autre, des attaques d'acide (arthrites), ou bien tout simplement, les reins qui fonctionnent bien lorsqu'ils contiennent trop d'acide urique ne suffisent plus à l'élimination; il se produit alors une élévation des taux d'acide urique dans l'organisme, d'où les dépôts d'acide urique qui s'accumulent aussi dans les poumons, les articulations, les cavités des glandes, les travées des os et même dans la moelle.

C'est alors que nous voyons apparaître les causes des caries, de la gravelle, des rhumatismes, de la goutte et de l'arthrite ainsi que de l'arthrose. Chez les consommateurs de viande, l'urine est très acide, il faut réduire cette acidité. L'acidose urinaire est toujours un signe grave d'insuffisance hépatique. Faute d'être neutralisé par les ions ammoniacaux et faute d'être expulsés par les reins, les acides aminés excédentaires, issus des viandes surchargent l'organisme en acide urique qui ronge les bases calciques et magnésienne et déminéralise les os, les tissus, les glandes, dévitalisant, ulcérant, cariant et ruinant l'organisme. De plus, cette alimentation sème ses carences et prive l'organisme de diastoses vitaminés, de catalyseurs, de minéraux et d'autres oligo-éléments indispensables.

LA CONSTIPATION:

Par la constipation, notre système d'élimination essaie d'attirer notre attention. Si on n'y remédie pas alors elle s'établit en permanence.

La constipation est la source de l'auto-intoxication, et c'est la cause de la non-résistance du corps à toute attaque microbienne ou autre. L'élimination fautive, est due à plusieurs facteurs:

— La nourriture dénaturée ou mal choisie entraîne une assimilation défectueuse.

— La mastication trop rapide peut être due à la nervosité, à la fatigue et aux pensées que nous entretenons en mangeant.

Plus de 85% des gens sont constipés. La constipation est une cause importante et quasi universelle de maladie. La constipation, la colite, la diarrhée, les hémorroïdes, l'irritation de l'anus sont des manifestations d'auto-intoxication soit par la nourriture, soit par les médicaments.

Ces manifestations mettent en évidence une intoxication du côlon. L'intestin grêle est une machine merveilleuse. Il est réuni au côlon par une valve qui permet aux matières de passer dans le côlon en les empêchant de remonter vers l'intestin grêle.

Un jour ou l'autre cet état devient chronique. La première faute que commet l'homme est de ne pas écouter les appels de la nature, de refuser à son corps une alimentation saine et de ne pas prendre suffisamment d'eau fraîche. C'est la cause première de l'auto-intoxication.

Quand la nourriture a été proprement digérée, elle commence à passer dans les intestins, c'est le **chyle** qui est un mélange de minéraux, de sucres provenant de la transformation des amidons, de graisses réduites et de matières analogues telles que les albuminoïdes. La paroi interne de l'intestin grêle est tapissée d'un tissu velouté formé de plis qui entretiennent un mouvement ondulatoire d'arrière en avant imprégné par les sécrétions et activé par le mouvement ondulatoire, l'intestin absorbe les éléments nutritifs de bol alimentaire. Il existe des milliards de germes dans le caecum. En temps normal, ils vivent à l'état de saprophytes et ne causent pas de problèmes parce que la muqueuse intestinale est assez résistante pour ne pas être attaquée ou bien parce que les sucs intestinaux normaux en atténuent ou annihilent la virulence de ces germes empêchant alors les poisons de circuler dans le flot sanguin. Toutefois, l'alimentation des arthritiques changent les choses. Il se produit une stase coecale.

Les milliards de germes du caecum trouvent, en cas d'infection intestinale, un terrain tout préparé dans les déchets organiques qui circulent dans le canal intestinal et qui constituent un bouillon de culture très favorable à leur développement. Et ces germes donnent naissance à des toxines toujours plus actives. Si le malade atteint d'infection intestinale a la malenconteuse idée de s'alimenter, d'absorber des aliments albuminoïdes, (les viandes; aliments protéinés, etc.), il ne fera qu'aggraver l'infection intestinale étant donné que les viandes contiennent une bonne quantité d'albuminoïdes. Il serait préférable que les arthritiques et les rhumatisants en absorbent tous les jours, mais en très petites quantités, surtout l'hiver. En plus, les intestins sont presque toujours paresseux; certaines de leurs parties se spasment, d'autres restent dilatées et forment de véritables poches closes d'où la formation d'entérites. Alors une grande partie de ces poisons sont réabsorbés par la muqueuse intestinale pour ensuite passer dans le courant sanguin. Ainsi la présence de la toxine microbienne dans l'organisme modifie le terrain; les organes déréglés donnent alors naissance à des poisons au lieu de produire des éléments favorables au liquide sanguin.

Il ne faut jamais perdre de vue que les intestins travaillent à éliminer la plus grande partie des poisons de l'organisme. Tout ce qui ne passe pas aisément par l'intestin reflue vers les autres émonctoires, les encombre et les blesse occasionnant des lésions et des troubles dans différentes parties de l'organisme.

Donc, il faut à tout prix nettoyer les intestins des enfants afin d'éviter la constipation chronique qui une fois adulte leur causera des problèmes graves tels que l'arthrite et le rhumatisme.

L'intoxication détruit graduellement le corps, en le remplissant de toxines et ce n'est surtout pas en prenant des produits chimiques que l'on réussira à guérir la cause de la constipation; au contraire, cela détruit le péristaltisme de l'intestin qui a besoin alors de plus en plus de produits chimiques pour fonctionner.

Les produits chimiques détruisent les quelques spasmes que l'intestin peut avoir, il serait beaucoup plus important de changer l'alimentation: une bonne alimentation prévient et enraye la constipation. Éviter le café, le thé, les boissons gazeuses, le cacao et manger plus de crudités, de salade, de fruits, boire des jus de carottes, de céleri, de pomme et consommer des aliments riches en fibres. Il ne faut pas oublier non plus l'importance des exercices. Nos tissus sont constitués d'éléments simples provenant de notre alimentation. Or la flore intestinale assimile les minéraux. Cette flore bactérienne connaît des variations selon les individus. Ainsi, chez certaines personnes, des germes peuvent accomplir un travail métabolique de façon médiocre, et favoriser la production de toxines néfastes; ces troubles sont particulièrement fréquents, d'où la mauvaise assimilation des vitamines, des minéraux etc..., principalement les vitamines A, C, du complexe B. On ne doit pas oublier non plus que l'intoxication et la mauvaise assimilation influencent les glandes; le dysfonctionnement de celles-ci risque, en plus, d'altérer la mémoire de différents groupes de cellules.

Donc l'intestin est la principale voie de désintoxication et la plus importante parce qu'il reçoit les éliminations du foie, du pancréas ainsi que des glandes stomacales et intestinales. Ainsi la constipation est une entrave sérieuse à la santé. Suite à la constipation, il se forme dans l'organisme un égout terrible pire encore que les égouts d'une ville ce qui entraîne des prédispositions infectieuses et morbides. Un poison continuel est rejeté dans le sang et, à la longue, les reins fatigués ne peuvent presque plus éliminer ces déchets; ce qui n'aide pas l'organisme déjà aux prises avec un foie qui fabrique déjà trop d'acide urique.

MANIFESTATIONS GASTRO-INTESTINALES:

Hench, Willmer et Miller ont rapporté que des gastro-entérites, des colites, des ulcères gastriques et duodénaux sont souvent causés par une hypersensibilité à des éléments spécifiques comme le sucre, le café, le thé, le chocolat, etc.

Nous allons maintenant parler des manifestations gastro-intestinales de l'arthrite, de la goutte, du rhumatisme et de l'arthrose.

Dans ce cas, il peut y avoir des formes de flatulence, de la dyspepsie, de l'hyperacidité et en plus, une atonie (perte de tonus) de la structure musculaire et des troubles fonctionnels de la muqueuse intestinale.

Selon Keefer dans "Etiology of Chronic Arthritism", il existe une relation entre la sécrétion gastrique et l'arthrite et elle doit être considérée aussi rapidement que possible.

Kreenber, Rinehart et Phatak écrirent qu'une carence en vitamine C peut-être un facteur important dans le développement de l'arthrite atrophique. On trouve une faible quantité de vitamine C dans le plasma sanguin, les tissus et l'urine dans l'arthrose infectieuse chronique. L'expérience a démontré que même si l'on donne de la vitamine C aux patients atteints d'arthrite infectieuse chronique, la carence en vitamine C est toujours présente: ce qui prouve qu'en cas de troubles gastro-intestinaux graves, il n'y a pas d'absorption réelle de vitamine C. La carence continue d'exister.

Rowlauds, Fletcher et Graham ont relié indirectement la vitamine B à l'arthrite infectieuse chronique, notant fréquemment une atonie musculaire du côlon. Expérimentalement, une diète déficiente en vitamine B2 a entraîné des altérations dégénératives de la région gastro-intestinale.

M. Carrison a montré qu'une nutrition défectueuse peut amener des troubles de la région gastro-intestinale. Pour sa part, Elizabeth Robertson a démontré lors de travaux récents effectués sur des rats, qu'une diète déficiente en minéraux (calcium-potassium) a produit des modifications intéressantes. Elle a constaté que les parois intestinales étaient plus minces, que la partie inférieure des intestins avec leur contenu avait un poids plus élevé, qu'un nombre considérable de bactéries était présent dans le caecum et qu'il y avait une grande quantité d'azote dans l'intestin. Les stases intestinales avaient une élimination lente, suggérant une absorption moindre de protéines.

Pendant quatre semaines, on donna une diète dépourvue en calcium et en potassium à un groupe d'enfants. Il en résulta que 70% des enfants furent constipés et lorsqu'on ajouta du calcium à la diète, leur constipation cessa.

Le manque d'autres substances nutritives telles que les vitamines A et C peut produire des changements dégénératifs de la région gastro-intestinale; une infection peut être la cause des troubles du métabolisme de la vitamine C et diminuer ainsi l'absorption de cette substance nutritive. De plus, un dommage à un organe tel que le foie peut empêcher le stokage de la vitamine A et perturber le métabolisme de la vitamine D dont la carence nuit à l'absorption du calcium.

Race a démontré que dans les rhumatismes chroniques, plus spécialement dans l'arthrite infectieuse chronique, la quantité de pigments caroténoïdes et de vitamine A dans le sérum étaient sous la normale, de même que la quantité de vitamine C.

Dreyer et Reed ont traité 67 patients souffrant d'arthrite avec de larges doses de vitamine D, l'état de ces patients s'est amélioré, après une période variant d'une semaine à six mois. Ainsi donc, les déficiences et les troubles occasionnés par des carences en vitamines occupent une place très importante dans le traitement de l'arthrite.

"Même si les tentatives de traitements de l'arthrite et autres troubles par les méthodes nutritionnelles ont été jusqu'ici limitées, les résultats obtenus sont exceptionnellement intéressants."

Dr. Roger J. Williams.

De profondes carences vitaminiques se rencontrent inévitablement chez les arthritiques.

L'assimilation même des vitamines semble compromise. On a pu dénoter, chez les patients arthritiques, des dysfonctionnements gastro-intestinaux. On a remarqué des formes de flatulence, de la dyspepsie, de l'hyperacidité, en plus d'une atonie de la structure musculaire et un trouble de la fonction de la muqueuse.

Nous sommes ici en présence d'un cercle vicieux: en effet, de fortes quantités de toxines encrassent l'organisme et l'empêchent d'assimiler correctement les substances nutritives essentielles à son équilibre, et cette assimilation fautive détériore le système digestif, rendant l'absorption de ces substances plus difficile encore. Il faut donc rompre ce cercle vicieux en s'attaquant à la cause première du mal, c'est-à-dire l'intoxication. Celle-ci, il faut bien insister, est toujours causée par un mode de vie défectueux mais surtout par une alimentation inappropriée. C'est pourquoi le naturopathe s'attardera d'abord à désintoxiquer à fond son patient. Il cherchera ensuite à combler ses carences, et nécessairement la santé reviendra de ce double traitement.

LA DÉMINÉRALISATION PAR LE SUCRE:

''L'organisme des déminéralisés est caractérisé par une impossibilité manifeste de brûler complètement, d'élaborer correctement les produits acides présentés dans la nourriture ou nés dans le corps, au cours des actes d'assimilation et de désassimilation.''

Dr. Paul Carton.

L'organisme lutte contre l'acidification de ses humeurs en prélevant dans les os et dans les dents des substances alcalines, dont le calcium, pour neutraliser les déchets acides qui l'encombrent. Nous allons maintenant nous attarder à l'une de ces substances qui acidifient fortement l'organisme: **le sucre.**

Dans l'alimentation humaine, le sucre blanc joue un rôle extrêmement néfaste et dangereux. Beaucoup de gens, pour ne pas dire la presque totalité, ignorent les dangers sournois du sucre. C'est un drame de constater que même des médecins en conseillent l'usage.

Dans un livre fort intéressant, M. Jean-Paul Du Ruisseau, biochimiste montréalais, décrit à la lumière des plus récents travaux de recherches scientifiques, comment le raffinage du sucre détruit le magnésium et les oligo-éléments contenus dans le jus de la canne à sucre. Son livre s'intitule significativement: **''La mort lente par le sucre.''**

Contrairement à ce que l'on pense généralement, le sucre n'est pas un aliment nutritif. Il agit comme un "doping" en produisant un effet d'excitation sur l'organisme.

Le sucre blanc ne contient aucun élément protecteur, c'est une substance devenue chimiquement pure, ou presque et qui renferme uniquement du carbone, de l'hydrogène et de l'oxygène. Sa valeur est d'ordre calorique et non nutritive. On dit d'une substance qu'elle est nutritive si elle apporte à l'organisme certains éléments protecteurs comme les vitamines, les sels minéraux, les oligo-éléments et les enzymes. Les calories sont certes importantes, mais elles sont loin d'être le facteur dominant des aliments. Le sucre blanc raffiné n'est donc pas un aliment. Il ne devrait pas se trouver sur nos tables ou dans les aliments que nous achetons. Nous devons plutôt faire appel à des sucres naturels équilibrés.

Le sucre que l'on trouve dans les fruits convient parfaitement à nos besoins. Le miel (non pasteurisé) est une autre substance nutritive de toute première valeur. Ces aliments renferment l'ensemble des éléments vitaux nécessaires à leur assimilation.

Lorsque nous consommons du sucre blanc raffiné, notre organisme doit trouver dans ses réserves les éléments nécessaires pour l'assimiler. Pour ce faire, il leur faut des enzymes et certains sels minéraux, en plus des vitamines. Comme le sucre n'en contient pas, sa consommation représente pour l'organisme une dépense inutile et non compensée.

Pour la personne souffrant de manifestations arthritiques, le drame est bien plus sérieux encore. Cette personne ne peut en aucun cas se permettre des dépenses vitaminiques, minérales et enzymatiques. Elle est déjà trop carencée et acidifiée. Pour elle, le sucre devient une véritable substance meurtrière. Le sucre produit dans l'organisme un acide oxalique résiduaire par suite de certaines modifications qu'il subit au niveau de l'intestin. Oxydé dans les muscles, l'acide oxalique doit être neutralisé par le foie. Or nous l'avons vu, le foie de l'arthritique ne peut, en aucun cas, se permettre un tel travail: il est déjà surmené. Il est incapable de neutraliser correctement ces substances acides. Elles passent donc dans le sang et surmènent les reins qui doivent les éliminer. Malheureusement, comme les reins de l'arthritique ou du rhumatisant sont aussi déficients, les substances acides ne peuvent plus être complètement éliminées. Les cristaux d'acide oxalique, comme ceux de l'acide urique, se retrouvent dans les tissus et ajoutent une nouvelle surcharge toxique qui ne fait qu'aggraver le mal.

Le sucre blanc déminéralise, décalcifie, excite et épuise l'organisme. Voilà un produit définitivement néfaste que toute personne soucieuse de sa santé doit éliminer de son alimentation et que tout arthritique ou rhumatisant doit considérer comme une substance qui s'oppose à sa guérison.

LES PRODUITS LAITIERS:

"Tel qu'il provient de la vache, le lait constitue un aliment normal et parfaitement équilibré pour le veau. Idéalement parlant, ce n'est ni un aliment essentiel, ni un aliment normal pour l'homme."

James C. Thomson.

Lorsque nous avons parlé de purines, sous la rubrique "Les aliments défendus", nous avons souligné que le lait et le fromage étaient à peu près dépourvus de purines. Mais nous avons aussi souligné que la question des purines, si importante soit-elle, n'était pas l'unique facteur à considérer dans l'alimentation de l'arthritique et du rhumatisant. La consommation des produits laitiers doit être sérieusement étudiée ici, car ces personnes ne sont pas toujours en mesure de les métaboliser convenablement.

Le lait de vache est un liquide blanc formé de globules arrondis constitués d'une enveloppe très mince de matières albuminoïdes (caséine) et de matières graisseuses. La caséine est particulièrement difficile à digérer. Sur le plan nutritif, le lait est certes un aliment valable, il renferme des protides, des lipides et des sucres; on y trouve aussi des vitamines, des sels minéraux et des oligo-éléments.

Le lait est une sorte de viande liquide. Ses protéines (caséine, lactalbumine et lactoglobuline) et ses matières grasses exigent un travail digestif considérable. Le foie doit aussi être mis fortement à contribution. Les personnes dont la glande hépatique est déficiente, et c'est le cas des arthritiques, peuvent difficilement tirer profit de cet aliment. Pour elles, les produits laitiers sont plus nuisibles qu'utiles.

Les troubles arthritiques exigent donc une limitation dans la consommation des produits laitiers. Il est bon, au début de la cure de désintoxication, de les éviter le plus possible. Par la suite, on peut les réintroduire prudemment, sans toutefois jamais en abuser. Le même conseil s'applique pour les personnes en santé. Il est d'autant plus sage que la production laitière laisse de nos jours fortement à désirer. L'état de santé des troupeaux est pitoyable et les transformations industrielles que l'on fait subir aux produits laitiers en font un aliment de second ordre.

Toutefois, on peut mettre à l'épreuve sa propre tolérance car certains fromages maigres et les produits laitiers de la chèvre seront assez bien assimilés après la désintoxication.

Voici maintenant, à titre d'information, la description de la valeur thérapeutique d'un ensemble de suppléments désintoxiquants et revitalisants recommandés aux arthritiques et aux rhumatisants. Je désire préciser qu'il est préférable d'être guidé par un naturopathe spécialisé dans les soins aux arthritiques et aux rhumatisants lors d'un traitement de l'arthritisme en médecine douce. Parallèlement rien n'empêche de continuer de consulter un médecin qui avait peut-être prescrit des anti-inflammatoires et des calmants. Au fur et à mesure du traitement et de la récupération, le médecin réduira l'usage de produits pharmaceutiques, jusqu'au jour où il ne sera plus utile d'avoir recours à ces ''drogues'', car la nature aura repris le dessus.

Je veux également préciser que la naturopathie ne peut venir en aide aux personnes atteintes d'arthrite rhumatoïde dont les os ont subi de profondes déformations. Elles sont irréversibles.

LES SUPPLÉMENTS ALIMENTAIRES:

L'être humain est incapable de synthétiser certains composés organiques, qui rentrent dans sa constitution. Il doit donc se les procurer tels quels. Ces composés essentiels sont appelés ''vitamines''. Les vitamines sont des éléments qui donnent la vie.

Chez l'être humain, des déséquilibres vitaminiques peuvent se produire, tant chez le tout jeune que chez l'adulte, du fait des rations trop riches en graisses et en sucres. Les vitamines sont nécessaires pour prévenir la dégénérescence des cellules et à la formation de nouvelles cellules. Les vitamines jouent un rôle primordial dans les phénomènes de la vie. Privé de vitamines, l'être humain ne tarde pas à mourir. Des carences en vitamines, déterminent au bout d'un certain temps, un mauvais état général, accompagné de troubles, de malaises et de maladies.

Dans un article paru, en 1960, dans l'Union Médicale du Canada, il y a déjà 25 ans, M.J.E. Sylvestre, alors directeur de la division de la nutrition au Ministère provincial de la santé, à la suite d'une enquête faite en Gaspésie, qui démontrait les carences alimentaires chez les enfants, demandait aux médecins de l'époque de surveiller de plus près l'alimentation de leurs patients, puisqu'elle contribuait largement à rendre les gens malades.

"Toute sa vie, de la naissance jusqu'à la mort, l'être humain fera preuve d'efficacité au travail ou au jeu et de vivacité intellectuelle à l'étude comme à la compréhension des problèmes sociaux, en autant qu'il jouira d'un état de nutrition parfait, lequel ne peut exister que si l'alimentation répond à tous les besoins nutritifs du corps humain." (...)

(...) "D'ailleurs vous avez vous-mêmes (médecins) encore beaucoup plus d'occasion que nous de constater jusqu'à quel point les erreurs d'alimentation affectent la santé des individus."

Selon le rapport Canada, section Québec, publié en 1975, mentionnait:

"Selon les résultats de l'enquête, il semble que les personnes âgées, les hommes surtout, constituent le groupe le plus vulnérable aux carences alimentaires." (...)

(...) "Les apports caloriques les plus faibles ont été relevés chez les personnes âgées, et leur insuffisance était de nature à compromettre les apports en vitamines et en minéraux."

— "On dénote un excès de poids plus élevé chez les femmes."

— "Les taux de cholestérol sérique élevés sont fréquents."

— "Les personnes âgées de 65 ans et plus, les femmes surtout, ont les apports en thiamine et en riboflavine les moins satisfaisants. La carence en thiamine est plus fréquente chez l'homme."

— "Les hommes âgés ont des apports en acide ascorbique (vitamine C) plus faible."

— Ce groupe d'âge a des apports faibles en calcium, à peine plus que suffisant, ce sont les plus faibles de l'échantillon national.

— "Les apports en vitamine D sont assez faibles pour devenir sujet d'inquiétude, chez les personnes âgées."

— "De tous les groupes d'adultes, les personnes âgées sont celles qui reçoivent le moins de fer dans leur alimentation, et leur consommation à cet égard suffit à peine à leurs besoins. Une légère anémie est très répandue chez les hommes âgés."

— "On a observé chez les personnes âgées, plus que dans les autres groupes, un certain nombre de signes cliniques pouvant se rattacher à l'état nutritionnel, comme par exemple, une langue anormalement lisse, des lésions aux commissures des lèvres et des paupières, l'absence de réflexes aux genoux et aux chevilles.''

Cette enquête se termine sur cette mention:

"Les canadiens et les québécois doivent connaître leur évaluation nutritionnelle, car l'état nutritionnel est étroitement lié à l'état de santé général et à la prévention ou à l'atténuation de la gravité des malaises.''

"En conclusion, il faut prendre des mesures pour régler ces problèmes. En outre, on devrait se soucier de déceler ces problèmes au début de leur manifestation et d'établir des programmes préventifs pour l'avenir.''

"Notre santé, et notre vie en général, sont profondément marquées par les coutumes alimentaires. Celles-ci affectent le développement mental et physique, la résistance aux maladies et la capacité à combattre les infections et à tolérer le stress.''

Je doute fortement qu'il y ait une amélioration au niveau des carences alimentaires. Dans ma pratique, au cours des quatorze dernières années, je n'ai remarqué aucune amélioration, même minime, chez les aînés; au contraire, j'ai constaté une dégradation de la santé physique et une augmentation des problèmes reliés à la nervosité ou au stress.

Les aînés, par rapport aux autres groupes de notre société, font partie à mon avis, du groupe le plus stressé dont les principales causes de stress sont l'insécurité financière, l'insécurité tout court, parce qu'ils sont seuls ou délaissés, la peur de l'avenir, l'ennui. Tous ces facteurs sont sans exception des chocs ou des agents stresseurs qui déclenchent le stress, et ce stress, une fois installé, active davantage tout le métabolisme et occasionne une augmentation de la destruction des vitamines, des minéraux et des oligo-éléments, etc. En activant le métabolisme, il y a une destruction plus rapide des éléments nutritifs provenant de notre alimentation. N'oublions jamais que le stress crée une demande, exige un plus grand apport de vitamines, de minéraux et d'oligo-éléments.

Le stress, ou déséquilibre des glandes, crée la plupart de toutes les maladies.

Dans la Presse du lundi 30 septembre 1985, le Docteur Peter Hansen mentionnait que pas moins de 80% de toutes les maladies sont provoquées par le stress.''

Le Docteur Hans Selye, le découvreur du stress, a résumé ses travaux de recherches dans son célèbre livre ''Le stress de la vie'' et il y fait une très bonne description des maladies causées directement par le stress. D'ailleurs, ne mentionne-t-il pas dans sa préface, que le premier agent stresseur qui déclenche le stress, est l'alimentation.

Pourquoi Hans Selye n'a-t-il pas été écouté, étudié?

Toutes ses découvertes au sujet du stress auraient très bien pu être enseignées à la population en général et pour son plus grand bien.

De toute manière, il ne sera jamais trop tard pour appliquer les recommandations de ce livre et pour découvrir la vérité au sujet d'une bonne alimentation et la prise de suppléments qui vous conviennent.

Les suppléments alimentaires, qui sont des constituants provenant de l'alimentation, servent à combler les différentes carences nutritionnelles causées par notre mauvaise alimentation et par les différents composés chimiques dont on se sert en agriculture.

M. Claude Aubert, ingénieur agronome, dans son livre ''L'agriculture biologique'', aux éditions ''Le courrier du livre'' prouve que l'alimentation actuelle est dévitalisée et par le fait même, ne peut plus nourrir l'être humain comme elle le devrait, occasionnant ainsi des carences nutritionnelles. Monsieur Aubert dira: ''La qualité biologique de nos aliments va se dégradant au fur et à mesure de l'industrialisation de l'agriculture et de l'élevage. Aux causes proprement agronomiques dont nous avons parlé, s'ajoutent les altérations diverses subies par les aliments lors de leur transformation industrielle: raffinage, action de la chaleur, addition de divers produits chimiques, etc... (...)''

(...) ''Du point de vue chimique, on peut dire que cette perte de qualité se traduit par un abaissement de la teneur des aliments ''nobles'': acides aminés essentiels, vitamines, oligo-éléments, sans parler de certaines substances particulièrement fragiles dont nous ignorons encore l'importance.''

Voici donc quelques exemples de la provenance des carences nutritionnelles en vitamines, en minéraux, en oligo-éléments, dont M. Aubert fait allusion, et regardons brièvement quelques intéractions vitaminiques.

1) Les vitamines B permettent l'utilisation des sucres. Si la ration des sucres est trop forte, il y a aussi alors insuffisance des vitamines B. Par contre, si la ration en sucre est faible, même un faible apport en vitamines B pourrait suffire à répondre aux besoins de l'organisme. Mais nous savons tous que les Québécois sont de grands consommateurs de sucre et qu'ils présentent de fortes carences en vitamines B.

2) Il existe également une synergie entre les vitamines B2, B6, B12, P et C.

3) Il y a aussi une action conjointe entre la vitamine B12 et l'acide folique.

Il semble indiscutable que cette baisse de qualité ait une lourde part de responsabilité dans le développement actuel des maladies de civilisation et dans la dégénérescence lente, dont les caries dentaires constituent un des premiers signes. En effet Weston Price, un dentiste américain, dans son ouvrage "Fondamental Nutrition and Physical Degeneration" rapporta les observations suivantes, lorsqu'il parcourut le monde dans le but d'étudier les rapports entre le régime alimentaire et la santé des peuples primitifs.

Il fit une constatation extrêmement frappante: de nombreux peuples parmi ceux qu'il observa, étaient en excellente santé et avaient une dentition remarquable (absence quasi totale de caries), tant qu'ils conservaient leur alimentation traditionnelle. Mais dès qu'il commençaient à adopter une nourriture de type européen, les caries apparaissaient, suivies de diverses maladies.

Il paraît difficile de soutenir que notre alimentation est de bonne qualité biologique, quand on sait les ravages que font les caries dentaires dans tous les pays industrialisés.

Les travaux de recherches de M.W. Price démontrent que l'abus des sucreries ou l'insuffisance d'hygiène dentaire ne suffisent pas à expliquer le mauvais état des dents des "civilisés" que nous sommes.

On nous rétorque généralement que quoi qu'il en soit, jamais l'homme ne s'est aussi bien porté et n'a vécu aussi vieux que de nos jours.

Citons à ce propos le docteur Picard, dans son livre "L'utilisation thérapeuthique des oligo-éléments." "Il suffit de considérer dans les pays développés, les courbes de mortalité et surtout de morbidité de ces dernières années. Les maladies chroniques sont en effrayante augmentation, en particulier les affections psychiques, rhumatismales, digestives et cardio-vasculaires."

Le docteur Picard ajoutera: "La vie reste un mystère étonnant et impénétrable. Commençons donc, autant qu'il est possible par respecter la vie dans toutes ses manifestations, même les plus humbles: c'est le premier pas vers l'instauration d'un monde plus humain."

Il y a également J. Paul Marguerite, qui a écrit dans "Le prix de l'équilibre". "Enfin il faut une fois de plus insister sur les questions alimentaires, les carences et la sous-alimentation, beaucoup plus fréquentes que l'on ne pourrait croire dans notre société riche et évoluée qui sont un facteur de dégénérescence du système nerveux et du psychisme.''

Le rôle des vitamines, des oligo-éléments se rattache aux phénomènes intimes de la vie: Les aliments devraient être les premiers médicaments, mais placés comme objets industriels, ils ont perdu le pouvoir de nous maintenir en bonne santé.

Claude Aubert dira que: ''Manger c'est détruire une substance vivante pour la transformer en notre propre substance et en énergie: acte lourd de conséquences. Seule une agriculture respectueuse de la vie et de ses lois peut produire des aliments qui soient réellement pour nous, une nourriture.''

En conclusion à ce petit exposé nous remarquons que les propos de Claude Aubert, de M. Sylvestre, de M.W. Price, et de Nutrition Canada et autres confirment que notre alimentation est fautive, que les individus souffrent de plusieurs carences nutritionnelles.

C'est pour toutes ces raisons évoquées que je dis:

La nécessité d'utiliser des suppléments alimentaires est la conséquence inévitable de la dégénérescence de l'alimentation et de sa dégradation biologique.

Il ne faut pas penser que les suppléments alimentaires doivent remplacer notre alimentation, mais je pense que les suppléments viennent donner un coup de main à notre alimentation appauvrie, d'où leur nécessité.

LES SUPPLÉMENTS ALIMENTAIRES:

Voici une boisson recommandée aux personnes souffrant d'hyperacidité et de dépôt d'acide urique:

Le petit lait (lactosérum)

Il faut ajouter d'une demi à deux cuillerées à thé (2,5 à 10 ml) par verre d'eau et en prendre plusieurs fois par jour. Autrefois, plusieurs personnages importants de la France utilisaient le petit lait pour ses propriétés décongestionnantes et dépuratives. On allait même faire des cures de ''petits lait'' en Suisse.

La boisson de vinaigre de cidre et miel:

Le vinaigre de cidre de pomme est riche en silice, en potassium, en calcium, en magnésium, etc. Il permet au calcium d'être assimilé dans l'organisme et il nettoie le corps des dépôts calcaires.

Il n'y a aucun danger à prendre du vinaigre de cidre de pomme, c'est pour cette raison qu'il est recommandé dans toutes les maladies où il y a un grand nombre de déficiences physiques ou psychologiques, dans lesquelles l'équilibre acide-base est rompu. Le vinaigre de cidre doit être pris à raison de une à deux cuillères à thé et deux cuillères à thé de miel et eau chaude, et bien mélanger. Boire lentement avant midi et avant le souper. Vous pouvez également le mettre dans les salades.

Le docteur Jarvis, dans son livre ''arthritisme et vieux remèdes'' mentionne ''Lorsque le calcium précipite dans les tissus, les chairs deviennent dures et perdent leur saveur. Quand on donne aux animaux du vinaigre de cidre, le dépôt calcaire se dissout à nouveau, ce qui rend les tissus plus tendres et en relève le goût.'' ''Lorsqu'on renie le goût naturel des animaux et des enfants pour l'alimentation acide, on ouvre, selon moi, la voie à la dégénérescence des tissus qui affaiblit les possibilités des organes dans l'accomplissement de leurs fonctions vitales.''

Selon le docteur Jarvis, voici les diverses raisons qui amènent la médecine populaire du Vermont à prescrire le vinaigre de cidre avec le miel dans le traitement de l'arthrite:

''1- Fournir à l'estomac l'acide qu'il devrait normalement sécréter afin que puisse s'opérer une digestion adéquate.

2- Assouplir les tissus de notre organisme et permettre aux cellules de poursuivre normalement leur activité vitale.

3- Sauvegarder l'élasticité des tissus.

4- Supprimer les dépôts de calcium dans les parois artérielles.

5- Favoriser l'assimilation du calcium.

6- Réduire l'activité des mécanismes producteurs d'énergie de notre organisme. En termes populaires on dit ''adoucir le tempérament''.

7- Supprimer la constipation qui accompagne souvent la maladie articulaire.

8- Améliorer l'état de la peau.

9- Stériliser dans l'organisme les milieux favorables à la culture des germes.

10- Aider la mobilisation de la masse sanguine au niveau des organes abdominaux.

11- Supprimer les fermentations digestives.''

Examinons ce que fait le miel dans notre organisme, selon le docteur Jarvis:

1- Le miel améliore la digestion.

2- Il présente une certaine aptitude à fixer les liquides. Vous pourrez remarquer qu'en prenant du miel avec un aliment salé, vous aurez moins envie de boire.

3- Il aide à détruire les microbes.

4- C'est un excellent apport alimentaire, car il contient des vitamines, des minéraux et des enzymes.

5- Il est légèrement laxatif.

6- Il est sédatif.

7- Il aide à soulager la douleur occasionnée par l'arthrite. Il contribue également à supprimer les crampes musculaires. Pour calmer les douleurs, prenez-en une cuillerée à soupe à chaque repas.''

Voici donc les raisons selon lesquelles la médecine populaire du Vermont, après deux siècles d'expérience, prescrit le vinaigre de cidre de pomme avec le miel pour soigner l'arthrite.''

Le charbon végétal activé est produit avec de la matière végétale: bois tendre de saule, de bouleau, de tremble, de peuplier, quelquefois de la noix de coco ou de la mousse de tourbe; recommandé entre autres par la pharmacopée des États-Unis. Il augmente l'épuration, il accélère la désintoxication parce qu'il provoque le déversement dans l'intestin des substances qui se trouvent dans le sang, et il empêche les toxines de revenir à nouveau dans le sang.

Pour soigner la constipation et le désengorgement du foie, plusieurs mélanges d'herbes en vrac, en comprimés, en liquides ou en capsules pourront être utilisés. Plusieurs plantes sont laxatives et facilitent l'écoulement de la bile. *Il y a le curcuma, l'aloès, le millepertuis, la racine de dent-de-lion, le chiendent, le lycopode, la racine d'épine-vinette, l'artichaut, la renouée des oiseaux, le boldo, le raifort, la menthe, le sulfate de sodium (un minéral),* etc... Les tisanes et composés que je recommande et utilise dans les programmes thérapeutiques de mes patients sont disponibles dans les magasins d'alimentation naturelle, ou sur recommandation naturopathique.

Le Docteur Vogel, naturopathe de réputation internationale, a mis au point une cure de désintoxication qui associée à un régime alimentaire précis (préparé par Mme Johanne Verdon Labelle, n.d., aide à nettoyer le foie, l'estomac, l'intestin et les reins, permettant ainsi à l'organisme de se libérer de multiples toxines lourdes et de l'acide urique. **Cette cure dépurative des humeurs, préparée selon une vieille recette orientale, améliore le fonctionnement du métabolisme.** Nous y retrouvons une variété incroyable d'herbes curatives dosées avec soin et préparées sous forme de teintures (concentrés liquides) et de comprimés.

Plusieurs autres plantes décongestionnent les reins:

La busserole, l'achillée-millefeuille, l'aubier de tilleul sauvage, le radis noir, qui est un excellent nettoyeur du foie et de la vésicule, etc.

La silice agit beaucoup au niveau des reins, les recherches démontrent que la silice augmente l'élimination urinaire de 185%; nous la retrouvons, comme je l'ai déjà mentionné, dans la prèle et l'ortie, deux plantes recommandées aux arthritiques.

La teinture d'ortie (concentré liquide) est d'un grand secours pour les personnes souffrant d'arthrite et de goutte. Elle désinfecte, grâce à sa richesse en silice, et nettoie l'organisme en rejetant le surplus d'acide urique. De plus, elle a un fort pouvoir minéralisant.

La bardane pulvérisée et encapsulée est très efficace pour nettoyer les muscles des substances acides; elle active également le décongestionnement des reins.

Le carthame ou safran, en capsules est une plante qui draine les reins pour aider à l'élimination des déchets ou des cristaux acides.

La pensée sauvage est une des meilleures plantes dépuratives, à la fois laxative et diurétique.

La reine-des-prés est diurétique, dépurative et antispasmodique; c'est un dépuratif de la vessie.

Je veux également attirer votre attention sur un vieux remède, très efficace qui a satisfait des milliers de personnes à qui **Marie Treben** l'a recommandé. Cette grande herboriste autrichienne m'a fait découvrir les vertus extraordinaires d'une liqueur de plantes appelée ''*liqueur du Suédois*'' (une recette du célèbre médecin Suédois le Dr. Samat).

Cet élixir décongestionne en profondeur les organes de la digestion et libère de leurs vieilles toxines beaucoup d'arthritiques et de goutteux.

Il est en général conseillé d'en prendre d'une demi cuillerée à thé (2,5 ml) à une cuillerée à soupe (15 ml) avant ou après les repas, dans de l'eau tiède ou dans une tisane.

Voici la composition de ce précieux remède:

de l'aloès, de la myrrhe, de la cosse de série, du camphre, de la racine de rhubarbe, de la racine de zedvoary, de la manne, de la carline sans tige, de la racine d'angéline, de la racine de réglisse, du fenouil, de l'anis, de l'orange amère, de la racine de gentiane, du sucre et de l'alcool rectifié.

L'aubier de tilleul sauvage est un excellent draineur des reins et du foie. Il permet à l'organisme de mieux nettoyer les muscles, les cartilages et il aide les reins à mieux éliminer les déchets. Il donne de bons résultats dans les cas de calculs urinaires, de rhumatismes, d'arthrose, de goutte et de cellulite.

Le bouleau est un excellent draineur des reins.

La chicorée sauvage est un autre bon draineur.

Le frêne donne d'excellents résultats dans les cas de rhumatisme, de goutte, de cellulite, de troubles rénaux et aussi en cas de troubles dus à la vieillesse, il redonne une bonne digestion et permet une meilleure assimilation.

Les mélanges de lavande, de cassis et de reine-des-prés donne de bons résultats dans les cas de rhumatisme chronique.

L'artichaut est un draîneur pour les reins et le foie.

La prêle est riche en silice et est toute indiquée pour les problèmes d'arthrite, de rhumatisme et d'arthrose parce que la silice qu'elle contient permet une meilleure assimilation du calcium. Elle nourrit les os.

La germandrée est employée en cas de digestion lente, de rhumatisme et de goutte.

Le chiendent a un effet antirhumatismal.

La consoude (racine) cicatrise et régénère les tissus, et combat l'inflammation des articulations. Elle est également efficace en compresses sur les ulcères variqueux.

La verge d'or est désintoxicante et diurétique.

La reine des prés est antirhumatismale, diurétique. Elle favorise une bonne élimination d'acide urique et d'autres déchets, elle est recommandée contre la goutte également.

Voici les suppléments alimentaires conseillés:

— Un composé liquide à base de teintures de plantes: pétasites, verge d'or, ansérine, renouée des oiseaux, colchicine, bouleau, gui, prêle, menthe, inamoschata et cortex salicis standardisé. Ce composé aide à nettoyer les os et les articulations.

— Un concentré liquide en ampoule de vitamine C 500 mg et de pectine, est un supplément facilement assimilable de vitamine C; il a un effet à retardement qui diminue l'élimination urinaire de la vitamine C.

— Un composé en comprimés contenant: curcuma, aloès, petite centaurée, herbe de millepertuis, racine de dent-de-lion, de chiendent, racine de chardon-roland, lycopode, racine d'épine-vinette.

— Un composé comprenant 1000 mg de concentré d'ortie.

— Un remède homéopathique de phosphate de sodium.

— Un composé comprenant: chrysanthellum, harpagophytum et vergerette du Canada.

— Un composé de bioxyde silicium ionisé à l'état colloïdal.

— Un composé dont chaque capsule contient: harpagophytum nébulisat, harpagophytum poudre, prêle, chrysanthellum.

— Un composé qui contient les teintures de verge d'or, de prêle, d'ansérine, de bouleau, de renouée des oiseaux, de pensée des champs, de l'herbe et de la racine de bugrane, de genièvre.

— Un composé à base de racine de garance.

Voici quelques suppléments alimentaires qui aideront au bon fonctionnement du foie et de la vésicule:

— Un concentré de jus de carottes organiques.

— Un composé à base de teintures d'artichaut, de renouée des oiseaux, de boldo, de chardon-Marie, d'aloès, de lycopode, d'épine-vinette, de raifort, de menthe et de sulfate de sodium.

— Un composé fait de teintures d'artichaut, de renouée des oiseaux, de boldo, de charbon-Marie, d'aloès, de lycopode, d'épine-vinette, de raifort, de menthe, de sulfate de sodium et de teinture de dent-de-lion.

— Un composé de sulfate de sodium. (sel biochimique)

— Un composé en ampoule constitué de radis noir, de boldo et d'extrait de foie.

Les plantes conseillées pour apaiser l'anxiété, l'angoisse et la nervosité sont:

L'aubépine qui agit sur le système nerveux et cardio-vasculaire; elle aide ainsi en cas de palpitations, de bouffées de chaleur, de tachycardie, d'angoisse, de vertige, des spasmes gastriques et de nervosité.

La luzerne (l'alfalfa) est riche en calcium, en phosphore, en chlorophylle, en fer, en vitamines B, C, D et K. (La vitamine K est anti-hémorragique et coagulante.)

La valériane est un des meilleurs calmants, elle fortifie et tonifie le système nerveux. Elle agit en cas de spasmes divers, même ceux de l'estomac et dans les cas de palpitations, de tachycardie, de bouffées de chaleur.

Le pin (bourgeon) est employé pour soigner les troubles nerveux ainsi que la fatigue nerveuse.

La camomille est très utile lors de mauvaise digestion, d'affections spasmodiques et de migraines.

L'épine-vinette fortifie les nerfs de l'estomac, elle est également employée en cas d'irritation de l'intestin et des voies urinaires.

La passiflore est un sédatif; elle calme l'excitation cérébrale et elle aide au sommeil.

La fleur d'oranger est employée pour lutter contre les insomnies, les palpitations et la nervosité.

Le tilleul est un tranquillisant, il est bon pour les spasmes et l'angoisse.

Les suppléments alimentaires conseillés pour calmer l'anxiété, l'angoisse et la nervosité sont:

— Un composé de 1000 mg de teinture d'avoine. (sur recommandation naturopathique seulement) lors de problèmes de nature arthritique.

— Un composé qui contient de l'extrait d'avoine, du gluconate de calcium, de l'acide glutamique, de la lécithine de soya, du phosphate de sodium et de la racine de ginseng.

— Diverses variétés de suppléments à base de valériane, camomille, passiflore, houblon etc... et plusieurs remèdes homéopathiques.

Les plantes aidant à lutter contre la constipation:

L'artichaut est une des rares plantes à exercer une action directe sur les cellules du foie.

Le pissenlit est un diurétique; il exerce une très bonne action sur le foie paresseux en accroissant la sécrétion biliaire.

Le séné a une action déconstipante un peu plus forte. Il faudra en prendre modérément car elle peut occasionner des crampes.

De nombreuses plantes aident à lutter contre la constipation: bourdaine, curcuma, aloès etc...

Les aliments aidant à lutter contre la constipation:

Les jus de carotte fait à l'extracteur excellent dans la décongestion des intestins.

L'huile d'olive pressée à froid (une à deux cuillerées à thé) décongestionnera les intestins.

Les betteraves, la compote de pommes et figues, les graines de lin, les céréales à grains entiers, de façon générale, l'ensemble des fruits et des légumes.

Les suppléments alimentaires conseillés pour lutter contre la constipation sont:

— Un composé à base de graines de psyllium.

— Un composé qui contient des graines de lin, des feuilles de séné, de l'écorce de bourdaine et du lactate de calcium.

— Un composé d'aloès, d'écorce de bourdaine, de feuilles de séné, de fenouil, de chicorée sauvage, de chardon béni, de fumeterre, de la racine d'hièble, de la racine d'aunée, de la racine de bugrane, de la racine d'asaret.

La liste serait longue car les composés sont nombreux.

Les plantes suggérées pour lutter contre l'insomnie:

Ces plantes doivent être prises ensemble si l'on veut obtenir de meilleurs résultats.

L'aubépine agit surtout sur le système nerveux cardio-vasculaire; cette plante est importante pour les surmenés.

La camomille calme les crampes et est tranquillisante.

La passiflore calme l'excitation cérébrale et aide au sommeil.

Le tilleul est recommandé en cas de troubles circulatoires, de spasmes et d'insomnie.

La valériane est un des meilleurs calmants dans les cas d'insomnie, de palpitations, de cauchemars.

Le romarin aide à dégorger le foie en augmentant la sécrétion biliaire; par son action, il assure une meilleure digestion et il aide à combattre l'insomnie.

La fleur d'oranger est une plante calmante employée pour lutter contre les insomnies.

Les suppléments alimentaires conseillés pour lutter contre les insomnies sont:

— Un supplément qui contient les teintures de mélisse, de houblon, de valériane, d'avoine et de lupulin.

— Un composé qui contient 1000 mg de teinture de valériane pure.

— Un composé liquide de mélisse.

— Un composé liquide de passiflore.

Les plantes qui soulagent les maux de tête et les migraines:

La camomille et l'angélique des antispasmodiques, elles agissent contre le mal de tête, la migraine, les palpitations. La grande camomille (tanacetum parthenium est disponible en capsules).

Le basilic aide à calmer les spasmes gastriques, les migraines; elle est aussi très efficace lors d'asthénie nerveuse.

La mélisse est calmante, digestive et agit bien contre les migraines digestives.

La verge d'or est idéale plus particulièrement pour les femmes souffrant de maux de tête avant les menstruations. Elle a aussi une action dépurative.

La lavande travaille bien contre les maux de tête provenant de crises de nerfs.

La saule contient l'acide acéthylsalycilique (aspirine naturelle). Elle est efficace contre les maux de tête et les douleurs en général. Par contre, il serait préférable de la prendre en capsule car elle est beaucoup plus concentrée qu'en tisane.

Les suppléments alimentaires pour soulager les maux de tête sont:

— Un composé de 1000 mg de teinture de valériane pure.
— Un composé de phosphate de fer.
— Un composé de saule, quinquina, noix de cola et pétasite.

Les anti-inflammatoires:

Tout en sachant qu'il peut être utile dans un cas de crise d'arthrite de prendre un anti-inflammatoire pharmaceutique, je voudrais mentionner que certaines teintures d'herbes de culture biologique ont des propriétés anti-inflammatoires et permettent d'éviter ou encore de diminuer progressivement l'utilisation d'anti-inflammatoires pharmaceutiques.

Le Docteur Alfred Vogel a mis au point un composé de teintures ayant des propriétés anti-inflammatoires et désintoxicantes: Il aide à soulager les douleurs arthritiques, rhumatismales et névralgiques en nettoyant le corps.

Voici ce composé:

De la teinture de verge d'or, de renouée des oiseaux, de pétasite, d'ansérine ambroisée, d'achillée musquée, de bouleau, de gui, de prêle des champs, de menthe verte, de colchique d'automne.

Ce second composé de teintures du docteur Vogel désinfecte et lutte contre l'inflammation.

Il s'agit de la teinture fraîche de cresson d'échide, de cresson de fontaine, de racine de raifort sauvage, de cresson alénois, de pétasite officinale.

Je veux également parler de la teinture d'échinacea qui peut aussi lutter de façon très efficace contre les états inflammatoires.

La racine de réglisse, de même que *l'harpagophytum* (griffe du diable) nourrit et renforce les glandes surrénales, facilitant ainsi la production de cortisone naturelle par ces glandes, souvent très fatiguées chez les arthritiques. *L'harpagophytum* procumbens pousse dans le désert de Kalahari et dans les steppes Namibiennes du sud-ouest de l'Afrique.

D'autre part, *le potassium* combat l'inflammation en stabilisant le chlorure de sodium dans les cellules, ainsi que le magnésium et le calcium. Le *magnésium* est aussi une précieuse aide pour combattre l'inflammation puisqu'il fortifie les globules blancs, agents de défense très importants. Ces deux minéraux pourront être pris pendant un certain temps sous forme de suppléments alimentaires.

La verge d'or, (solidago) est un anti-inflammatoire et un diurétique.

La luzerne a un bon effet sur les articulations, elle est alcalinisante (anti-inflammatoire) et nettoyante.

La consoude est un anti-acide; elle stimule la formation de nouvelles cellules osseuses, lors de fractures et aide à éliminer l'inflammation au niveau des articulations. Elle est reconnue comme étant le médicament des os et du périoste. C'est ''la plante qui soude.''

Le houblon est un puissant diurétique qui élimine l'acide urique. C'est un antispasmodique. Il calme les douleurs d'estomac dues à un excès d'acidité et il diminue la sécrétion exagérée d'acide souvent présente chez les personnes de tempérament neuro-arthritique.

Le bouleau a une action dépurative et diurétique; on l'emploie contre les douleurs dorsales, la goutte, le rhumatisme, l'acide urique; c'est aussi un bon dépuratif de la vessie.

La moule (aux orles verts) est un complément alimentaire et un anti-inflammatoire qui vient de la Nouvelle-Zélande. Il a été expérimenté particulièrement à l'hôpital de Glasgow de 1976 à 1980. L'extrait fut donné sous forme de capsules (de 3 à 5 par jour) et des effets anti-inflammatoires évidents furent notés. Toutefois, selon l'intensité du problème et l'ensemble des effets de désintoxication, les effets anti-inflammatoires commencèrent à se manifester de 3 semaines à 4 mois après le début de la cure. Les effets furent durables. Ce produit n'est aucunement toxique et il semble (selon les travaux scientifiques) que la partie active et bienfaisante pour les arthritiques et les rhumatisants soit les gonades (organe de reproduction) de cette variété de moules.

Le Docteur A. Vogel a mis au point un mélange de substances végétales utiles lors de douleurs de type névralgique.

Voici ce mélange: De l'extrait sec d'écorce de saule standardisé, de l'extrait sec de la racine de quinquina, du lactose, de l'extrait sec de la noix de cola, de l'extrait sec de la racine de pétasite. Ce composé est également recommandé lors de maux de tête.

Le saule, plus particulièrement l'écorce de saule est "l'aspirine de la nature", source naturelle de salicine peut, dans bien des cas, éviter ou diminuer la consommation de comprimés d'acide acétylsalicilique, ou de préparations à base de salicylates qui soulagent certes momentanément mais qui engendrent souvent des bourdonnements d'oreilles et des vertiges lorsqu'elles sont prises en plus grandes quantités. On peut également se procurer des comprimés contenant uniquement de l'écorce de saule. En somme n'oublions pas que toute les substances naturelles qui minéralisent, nettoient et luttent contre l'inflammation diminuent les douleurs, font un travail sur la cause du problème arthritique ou rhumatismal.

Les vitamines

La vitamine C doit toujours être accompagnée par la rutine et la bioflavonoïde pour être assimilée. La vitamine C entre dans la fabrication du collagène; *elle favorise l'entretien de la santé des os et des cartilages et des disques intervertébraux.*

Sources alimentaires: Les fruits et les légumes crus principalement: piment (poivron), melon, pomme, poire, brocoli, persil.

L'huile de foie de morue et l'huile de flétan sont deux suppléments riches en vitamines A et D qui favorisent la bonne assimilation du calcium. Les arthritiques dont le foie est sensible et qui assimilent difficilement les huiles de foie de poisson, pourront remplacer cette source de vitamines A et D par une source de vitamine D végétale (la levure placée sous rayons ultra-violets fabrique de la vitamine D.) et par des comprimés de carotène (pro-vitamine A) ou de vitamine A végétale (extraite de l'huile de schénanthe).

La vitamine A prévient et lutte contre l'infection et l'inflammation:

Sources: la carotte (sous forme de carotène), le navet, le panais, le beurre, les épinards, la laitue, le jaune d'oeuf, la tomate, l'artichaut, le chou, le maïs, l'abricot, le persil, la chicorée, les pommes de terre sucrées, les huiles de foi de poisson (morue et flétan), le piment vert, les pêches, les citrouilles, les asperges, le brocoli, les pois, les fromages, etc.

La vitamine A est détruite moins facilement que les vitamines B et C par la chaleur et la conservation. Sa grande ennemie: l'industrie de la chimification alimentaire, particulièrement les nitrites et les nitrates, des préservatifs qu'on retrouve en abondance dans les saucisses à hot dog, et les viandes fumées.

Les vitamines du complexe B sont également très importantes pour les arthritiques. Elles fortifient les organes, les glandes ainsi que le sang et la flore intestinale.

Voici un tableau de différentes sources alimentaires disponibles. Évidemment certains de ces aliments devront être consommés avec modération par les arthritiques (ceux qui sont soulignés).

Sources: levure alimentaire, germe de blé, fève de soya, pain de blé entier, riz brun (non décortiqué), amande, boeuf, farine de sarrasin, beurre d'arachide, avocat, etc.

Riboflavine: céréales non raffinées, viandes, lait, oeufs, levure de bière et alimentaire. Toutefois, lors de la pasteurisation, le lait perd 15% de sa riboflavine.

Niacine: levure alimentaire, germe de blé, beurre d'arachide, foie déshydraté, etc.

Acide pantothénique: levure de bière, germe de blé, foie, riz brun, grains entiers, saumon, jaune d'oeuf, champignon, gelée royale, etc.

Pyridoxine: germe de blé, soya, mélasse, foie, maïs, riz complet, levure de bière et alimentaire, légumes à feuilles (céleri), fruits (sauf les avocats et les bananes).

Acide para-amino-benzoique: levure de bière et alimentaire, riz, blé entier et germe de blé, mélasse, lait, oeufs, foie.

Biotine: levure de bière, riz entier, soya, saumon, chou-fleur, jaune d'oeuf, foie de boeuf (moins d'une partie par milliard).

Choline: germe de blé, fève de soya, épinard, jaune d'oeuf, levure de bière.

Inositol: germe de blé, foie déshydraté, fruits (pêches, pample-mousses, oranges, cantaloup), arachide, raisin sec, pois, chou, levure de bière.

Vitamine B^{12}: viande, tempeh, betteraves, produits laitiers.

Vitamine B^{15}: graines de tournesol.

Comme vous pouvez le constater il ne faut pas surcharger votre organisme. J'aimerais cependant mentionner que les vitamines B se retrouvent dans plusieurs autres aliments tel millet, orge, graines de lin etc... et qu'une alimentation bien équilibrée en apporte suffisamment. Dans certains cas de carences anciennes, un supplément de vitamines du complexe B sera recommandé lors d'un suivi thérapeutique.

La vitamine E assure une bonne circulation et une bonne oxygénation ce qui est essentiel pour éviter une trop grande accumulation de déchets qui risquent d'encrasser les articulations et d'empêcher une bonne nutrition des os et des tissus.

Sources: céréales à grains entiers, huiles pressées à froid, patate douce, pois vert, laitue verte, oeuf, germe de blé et à l'état de traces dans quelques aliments ex.: pomme, banane etc...

La vitamine F (ou acides gras non saturés) doit être présente dans le régime alimentaire quotidien de l'arthritique. Les huiles de première pression à froid contiennent de la vitamine F. À raison de 1 à 3 cuil. à thé (5 à 15 ml) par jour elles permettront une meilleure assimilation et une meilleure dispersion du calcium. L'huile d'onagre (ou primevère du soir) extraite des graines d'une fleur médicinale extraordinaire contient des quantités intéressantes d'acide gras (essentiels) non saturés: acide oléique, acide linoléique et acide gammalinoléique (découvert dans l'huile en 1919). Le corps a besoin d'une variété de graisses. Il peut en fabriquer une grande partie lui-même mais un groupe: les acides gras essentiels ceux que nous retrouvons dans la nourriture doivent se retrouver dans l'alimentation de façon régulière. Cependant plusieurs personnes consomment peu de ces aliments qui en apportent (graines, huiles pressées à froid, avocat, poisson, légumineuses, céréales à grains entier, huile de foie de poisson). Sans oublier que plusieurs substances détruisent ces acides gras essentiels: graisses saturées (gras animal par exemple), alcool, tabac, etc...

L'acide gammalinoléique est présent dans le lait maternel déjà, nous pouvons constater sa grande importance. De nombreuses études ont démontré le rôle important joué par les acides gras essentiels retrouvés dans l'huile d'onagre ex.: maladies cardiaques, tension artérielle, eczéma, asthme, allergies mais également lors d'arthrite rhumatoïde. L'arthrite rhumatoïde est une maladie chronique qui affecte les tissus conjonctifs, surtout dans les articulations. Lors d'arthrite rhumatoïde, l'organisme s'attaque à lui-même. En réalité, il s'auto-détruit. Les acides gras essentiels sont très utiles lors de défaillance ou de dérèglement du système immunitaire. Évidemment lors d'un problème de cet ordre, il est également important de rechercher les causes plus profondes de cette auto-destruction autrement dit, *de cette énergie intérieure mal utilisée.*

La vitamine P (rutine) ne doit pas être passée sous silence puisqu'elle aide à la bonne assimilation de la vitamine C.
Sources: Sarrasin, piment (poivron), raisin. (Ces aliments cconstituent les sources recommandées pour les arthritiques).

Les reminéralisants:

Plusieurs substances naturelles peuvent minéraliser l'organisme, l'alcaliniser et ainsi nourrir les os et empêcher l'ulcération des cartilages: en voici quelques-unes:

1) *Les algues* en comprimés, en capsules, directement intégrées dans l'alimentation ainsi que les bains d'algues.

2) *La prêle, l'ortie et la luzerne.*

3) *Divers suppléments de calcium* qu'il faudra choisir avec soin afin que le calcium soit bien assimilé. Les arthritiques peuvent quelquefois assimiler difficilement les suppléments de poudre d'os ou de dolomite (une roche riche en calcium et en magnésium). Par contre le calcium d'huître riche en carbonate de calcium, est plus facile à assimiler; cependant certaines personnes auront avantage à consommer un supplément peu concentré de calcium auquel est ajouté un peu de silice, de l'ortie et d'autres minéraux.

Il faut toujours surveiller l'apport de vitamine A et de vitamine D afin que le calcium ne fasse pas de dépôts dans les articulations (bursite, tendinite) et les reins (calculs).

Le calcium est alcalin, il neutralise l'acidité. La plus grande partie du calcium dans notre corps se trouve dans les os. Il est préférable de ne pas suggérer aux patients atteints d'arthrite de fortes concentrations de calcium en suppléments au début de leur thérapie en médecine douce, car un corps intoxiqué pourrait mal fixer le calcium. Lors de bursites, l'apport de calcium non alimentaire est souvent contre-indiqué.

N.B. Pour plus de renseignements, se reporter au chapitre la minéralothérapie.

L'acide désoxyribonucléique (A.D.N) est la substance fondamentale du noyau de chaque cellule humaine. **La laitance de poissons** est un excellent supplément d'A.D.N pouvant régénérer tous les tissus de l'organisme, notamment les os.

Chaque cellule a son propre destin, une durée de vie qui est fixée à l'avance. Avant de mourir, le noyau de cette cellule se divise en deux nouveaux noyaux qui forment deux nouvelles cellules identiques à la première, cela grâce à l'A.D.N. Sans lui, aucune naissance n'est possible. Dans un organisme jeune et sain, le renouvellement des cellules se fait normalement. Avec l'âge ou la maladie, le renouvellement n'est plus suffisant, il meurt plus de cellules qu'il n'en naît.

L'A.D.N. est un puissant régénérateur de l'organisme, donc des os.

Les suppléments toniques:

On peut avoir recours à un élixir contenant un plasmolysat de levure candida utilis, de malt, de miel, et de jus d'orange.

Ce produit est également disponible en gouttes, qui ne renferment alors que le contenu des cellules de levure et sous forme de comprimés. C'est un puissant tonique général. La levure candida utilis appartient à la catégorie des levures utiles à l'organisme; cette levure provient des extraits de 90 plantes sauvages cultivées puis plasmolysées afin d'en recueillir les éléments essentiels. Le processus de plasmolyse (éclatement des cellules de levure) ne requiert pas de chaleur, ce qui fait que les éléments essentiels sont préservés. Cette formule a été mise au point par le docteur Strathmeyer, en Europe au début du siècle; elle est maintenant exportée dans de nombreux pays à travers le monde.

Un extrait contenant la partie germinale des grains de pollen, présenté en capsules peut aider mais le simple pollen peut être aussi d'un grand secours.

Des ampoules buvables contenant des extraits autolytiques complets du foie et de la laitance de scomber (500 mg) ont également une puissante action plastique grâce aux acides aminés, aux vitamines B et aux oligo-éléments. Il faudra évidemment les utiliser au moment opportun, dans la thérapie de désintoxication et de revitalisation. En cela, le naturopathe est un guide précieux qui sera à même d'indiquer quand l'organisme assimilera adéquatement le tonique choisi.

En somme, la nature fournit aux arthritiques, aux rhumatisants, aux personnes épuisées par l'inflammation, diverses substances fortement revitalisantes.

L'organothérapie diluée et dynamisée:

"L'organothérapie est la thérapeutique qui agit sur les différentes glandes et tissus du corps humain pour en redresser le fonctionnement perturbé par administration d'extraits glandulaires et tissulaires homologues, dilués et dynamisés. L'organothérapie diluée et dynamisée utilise des extraits tissulaires et glandulaires, à l'état déconcentré, dilués et dynamisés, par la méthode hahnemannienne. Il ne s'agit pas d'obtenir un effet substitutif ou palliatif mais, en agissant directement sur la glande ou le tissu en cause, d'en redresser le fonctionnement perturbé, en le stimulant ou en le freinant, selon des règles précises. Le traitement organothérapique ne peut donner lieu à aucune aggravation dangereuse."

La gemmothérapie clinique:

"La phytothérapie, médecine par les plantes, dont la gemmothérapie dans le cadre des médications d'expression* hahnemannienne est un cas particulier, connaît un renouveau remarquable. Cela s'explique dans la mesure où cette thérapeutique découle de la pensée hippocratique PRIMUM NON NOCERE et permet de limiter l'emploi d'autres moyens, souvent très efficaces, mais parfois agressifs. De tout temps, l'être humain a emprunté à la nature les moyens pour se soigner. La phytothérapie est vieille comme le monde. Les premiers documents l'envisageant remontent à 4000 ans avant Jésus-Christ. Donc, les produits gemmothérapiques nous paraissent véritablement répondre à ce qu'on peut attendre d'une phytothérapie rénovée. Nous rappellerons que la gemmothérapie est la thérapeutique qui, dans le cadre du drainage, utilise des macérats glycérinés préparés à partir de bourgeons végétaux, frais et de tissus embryonnaires en voie de croissance, tels que jeunes pousses, radicelles, écorce interne de racines et de tiges. Le promoteur de la méthode est le docteur Pol Henry de Bruxelles."

La lithothérapie déchélatrice:

"La lithothérapie déchélatrice use de minéraux et de roches dilués et dynamisés. Elle appartient au groupe des minéralothérapies dont le but est d'améliorer le malade par l'administration de métaux et de métalloïdes. Il s'agit là de thérapeutiques non toxiques (ce qui ne signi-

---

* La méthode hahnemannienne est une méthode qui consiste à fabriquer des suppléments à partir de dilutions, donc ayant des doses ou quantités infinitésimales. Ces préparations sont ensuite dynamisées. Elle fut mise au point par le père de l'homéopathie, Samuel Hahnemann.

fie pas non efficaces) agissant sur le terrain du malade et visant à normaliser des circuits métaboliques perturbés par blocage au niveau enzymatique. De nombreux troubles pathologiques ont pour origine un déficit enzymatique provoquant des déviations métaboliques. Ces déficits métaboliques sont de deux sortes soit qu'il s'agisse de l'absence totale dans l'organisme de l'enzyme indispensable, soit qu'il s'agisse de l'inactivation de l'enzyme nécessaire, certes présent, mais inactivé par non intervention de l'ion métallique indispensable à son action. Donc, la lithothérapie déchélatrice est une méthode d'expression hannemannienne. Elle emploie des minéraux dilués et dynamisés à des fins thérapeutiques.''

5

Les médicaments chimiques

J'ai déjà mentionné plusieurs substances dont la consommation s'avère dangereuse dans les cas d'arthritisme. J'ai parlé des aliments riches en purines, des aliments acides, des alcaloïdes, du sucre, etc. Cependant, j'ai volontairement négligé de parler de l'alcool de façon plus particulière, car tous savent qu'il s'agit d'une boisson néfaste. La consommation régulière d'alcool est une des causes de la goutte.

Il existe un autre groupe de substances extrêmement nocives que nous ne pouvons cependant pas passer sous silence ici: ce sont les médicaments chimiques.

Les personnes souffrant de douleurs arthritiques ou rhumatismales considèrent généralement les médicaments comme des substances essentielles à leur état. En réalité, ce sont des substances qui ne peuvent que s'opposer à leur guérison et empirer leur mal.

Personne ne conseille à un individu sain la consommation de médicaments. On sait que les médicaments dérégleraient alors son organisme et le rendraient malade. D'autre part, on connaît très bien les effets pernicieux de certains médicaments.

La simple aspirine, par exemple, jouit d'une réputation fort douteuse. Le pharmacologue Ian Henderson, attaché à l'Hôpital général d'Ottawa, affirmait devant l'Association des pharmaciens de l'Ontario que l'abus ou le mauvais emploi des composés de l'acide acétyl-salicylique peuvent endommager gravement le foie, les reins et le cerveau. Le Dr Henderson insistait également sur l'influence qu'exercent les analgésiques sur la coagulation du sang. Selon des études récentes, deux aspirines peuvent affecter le mécanisme sanguin de façon à empêcher, pendant une semaine, une coagulation normalement rapide du sang. Selon lui, 60% des cas d'anémie sont attribuables à l'abus d'analgésiques. De plus, ces derniers prennent l'allure d'une drogue dont on ne peut plus se passer.

L'aspirine jouit d'une forte popularité dans le traitement de l'arthrite et d'autres maladies connexes. On s'en sert pour soulager des douleurs et des raideurs diverses. L'aspirine est pourtant une source d'acidification considérable. Si elle soulage temporairement le malade, elle l'intoxique davantage et complique sa maladie.

La douleur est une bonne chose en soi. Elle nous avertit que quelque chose ne va pas dans notre organisme. Normalement, elle devrait nous inciter à rechercher la cause de ce dérèglement pour nous amener à la supprimer. Ainsi, tout rentrerait dans l'ordre. Masquer la douleur en prenant un analgésique est comparable à l'attitude de l'autruche qui s'enfouit la tête dans le sable devant le danger.

Les contre-indications du traitement à l'aspirine sont nombreuses. Ce médicament engendre des ulcères gastriques à cause de sa forte acidité; de plus, accroît l'élimination de la vitamine C, occasionne des bouffisures du visage, provoque des néphrites et entraîne une plus grande acidose.

La plupart des remèdes dits anti-rhumatismaux sont des calmants plus ou moins puissants, ne possédant aucune action curative, mais d'une toxicité certaine, insidieuse et toujours dramatique pour les processus d'auto-défense de l'organisme. La cortisone ne fait pas exception à cette règle.

D'ailleurs, la cortisone est une hormone synthétique qui imite la formule de l'hormone naturelle sécrétée par les capsules surrénales. On peut la considérer comme l'un des pièges les plus dangereux que la médecine connaisse. Elle est responsable de souffrances et de dégénérescences organiques considérables.

Durant les premières semaines du traitement à la cortisone, le malade sent une légère amélioration de son état. Il constate qu'il est plus souple, qu'il souffre moins, qu'il est plus calme. Cependant, la réalité est bien différente. Son organisme en fait se détériore plus rapidement. Le mal s'aggrave. La maladie évolue plus vite, les articulations se détériorent davantage. On assiste à un débalancement total de tout le système hormonal:
— troubles glandulaires généraux, bouffissures et oedèmes par rétention d'eau, décalcifications dues au déséquilibre des parathyroïdes.

Les travaux scientifiques de Asboe-Hansen et de Kinirik-ko en 1963 ont démontré que la cortisone a un effet inhibitoire sur le métabolisme du collagène et des autres constituants du tissu conjonctif. D'autres recherches ont prouvé que la cortisone réduisait le taux d'incorporation des minéraux dans les os.

Un autre médicament anti-inflammatoire, la phénylbutazone, est reconnue pour sa toxicité. Son emploi doit donc être limité. Ce médicament provoque des ulcérations gastro-duodénales et des oedèmes.

L'oxyphenluxtazone est un autre agent anti-inflammatoire non hormonal. Il est contre-indiqué dans les cas d'ulcères gastriques évolutifs, d'insuffisance rénale ou hépatique et d'allergies médicamenteuses. Il est donc très dangereux car tous les arthritiques et les rhumatisants souffrent nécessairement d'insuffisance hépatique et rénale.

Que conclure de tout cela?
Laissons parler le docteur Carton:

"Il n'y a pas lieu d'être surpris ensuite des convalescences traînantes, des maladies fertiles en rechutes et en complications, de l'apparition des maladies chroniques, des dégénérescences car c'est là tout ce que peuvent déterminer des soins antinaturels qui, sous prétexte de traiter les maladies, n'aboutissent qu'à martyriser les malades sans répit."

6

La relaxation

Nous pouvons apprendre à contrôler la douleur organique. Habituellement, on croit que la sensation de douleur est quelque chose dont on pourrait se passer. Mais la douleur est fort utile et nous comprenons la nécessité de la douleur organique, car elle nous permet de suivre l'évolution d'une maladie, ainsi que sa régression.

Cette douleur peut provenir de lésions de cellules de notre corps. Elle naît de la stimulation des fibres nerveuses qui résulte de l'attaque des tissus de notre corps.

Ainsi, la douleur causée par une maladie donne rapidement lieu à une réaction psychologique: le malade éprouve une certaine forme d'inquiétude. Son degré d'inquiétude va dépendre de plusieurs facteurs tels que la nature de sa personnalité par exemple si son état le rend malheureux, ou s'il se reproche d'en être la cause, ou encore, il croit qu'en tombant malade il sera délaissé de sa famille ou de ses amis. Ces facteurs psychologiques peuvent avoir un effet sur le degré d'intensité de la douleur, mais surtout sur le moral du malade qui se sent délaissé de tout le monde.

Quand il s'agit de la douleur, il existe une relation très complexe et même une interaction entre les causes organiques et les causes psychologiques.

L'arthrite, par ses douleurs chroniques et par la dégénérescence qu'elle entraîne diminue le malade par une destruction lente et progressive et c'est pourquoi le malade est enclin à éprouver un sentiment de détresse.

Le malade doit donc réagir et ce n'est pas aussi difficile que cela en a l'air. Il suffit de se rappeler que la détresse est une réaction purement psychologique et que de ce fait, on peut l'influencer et la contrôler si nous savons nous y prendre.

Il est clair que la douleur provoquée par des carences en vitamines, en minéraux, et en oligo-éléments, par la présence d'acide urique dans les cartilages et les muscles et par le rachitisme qui occasionne des lordoses, des scolioses, des tassements de vertèbres, des hernies dans la colonne vertébrale, des gastro-entérites, des colites et autres affections ne peut être guérie simplement par la relaxation mais associée à un mode de vie convenable et un régime alimentaire qui comble les carences et favorise une bonne élimination, la relaxation devient un outil fort utile pour faire disparaître le sentiment de détresse dont souffrent les arthritiques.

La relaxation s'avère donc une aide précieuse pendant le traitement naturopathique. En conservant sa force intérieure le malade peut ''adoucir'' son hostilité à la douleur, source d'anxiété.

Le malade arthritique ou rhumatisant doit comprendre la cause de ses douleurs, de sa maladie, c'est pourquoi le naturopathe prend beaucoup de temps à expliquer au patient la cause de sa maladie et comment, par le traitement naturopathique, on peut l'aider à se guérir. Au fur et à mesure du suivi thérapeutique, le naturopathe instruira son patient.

Ce qu'il faut faire pour dominer sa douleur:

Pour réduire l'anxiété, on doit comprendre la cause de la douleur et pratiquer la relaxation. Il ne faut pas que le malade se laisse envahir par le sentiment de détresse qui accompagne si souvent la douleur et qui détruit progressivement son moral. Le malade peut parvenir à réduire l'anxiété dans le calme et par la relaxation.

Pendant le traitement naturopathique, pour contrôler la douleur chronique, nous penserons à:

a) abaisser le niveau d'anxiété.
b) éviter les sentiments de détresse.
c) se détendre.
d) faire des exercices modérés, de l'hydrothérapie et de la physiothérapie.
e) accomplir des exercices de relaxation.

La **relaxation** vise à arrêter l'effet destructeur que produit la douleur sur le corps et l'esprit quand elle devient trop grave et chronique, trop prolongée ou lorsqu'elle est associée au sentiment de détresse, de culpabilité et de crainte. C'est pourquoi nous devons avoir un bon moral, afin d'éviter le stress chronique qui détruit progressivement la force vitale. C'est pourquoi la naturopathie inclut la relaxation dans le traitement des arthritiques et des rhumatisants. Nous nous devons d'aider à la guérison des patients physiquement, psychologiquement et spirituellement. N'oublions pas que l'arthritique est habituellement une personne tendue et anxieuse.

La relaxation agit bien sur le diencéphale.

Il existe trois centres nerveux:

Le cortex est le centre des idées, des images, des sensations. Le diencéphale, pour sa part, commande tous les organes par un système de nerfs. Vient enfin, le cerveau moteur qui comprend le bulbe et le cervelet.

Ces trois parties du cerveau sont reliées entre elles et s'influencent réciproquement. Le diencéphale règle les grandes fonctions de l'élimination.

Il est important pour le malade d'arriver à faire le vide mental et de relâcher toute contracture musculaire et toute tension nerveuse pendant 15 à 20 minutes, et cela deux ou trois fois par jour afin d'assurer le repos périodique du centre neuro-végétatif (diencéphale).

La relaxation est une aide précieuse dans la thérapie naturopathique. Elle libère l'énergie bloquée dans la tension musculaire et qui intervient maintenant dans l'amélioration des processus vitaux c'est-à-dire le drainage, l'excrétion, l'élimination et la nutrition. L'organisme se remet alors à mieux fonctionner.

7

Les exercices physiques

"La pratique de l'exercice physique en toutes ses formes est sous la dépendance de notre volonté, nous pouvons en faire à notre gré. Ce qui signifie que notre santé, toujours fondée sur une nutrition puissante et bien équilibrée, dépend de la façon dont nous réglons notre activité corporelle, qui se confond avec l'activité de nos muscles, organes du mouvement."

Dr. E. Ruffier.

L'insuffisance du métabolisme de certains aliments, comme les protéines entre autres, constitue l'une des causes premières de l'arthritisme. À cela s'ajoute la consommation de certaines substances nettement toxiques qui encrassent et dévitalisent davantage l'organisme. Or, il existe un excellent moyen d'améliorer cette situation; il s'agit d'abord d'éliminer de son alimentation ces substances toxiques et ensuite de faire plus d'exercice pour parvenir à mieux métaboliser les protéines.

C'est un fait que le métabolisme des protéines est plus complexe et plus laborieux que celui des glucides et des lipides. Ces derniers produisent surtout de l'énergie et sont complètement utilisés (brûlés) au cours de l'opération. Ils sont alors transformés en eau et en acide carbonique que la peau, les reins et les poumons parviennent facilement à éliminer.

Le régime alimentaire que nous préconisons laisse très peu de déchets uriques dans l'organisme. Grâce à lui, on peut parvenir à guérir les manifestations arthritiques assez facilement. En adjoignant des exercices physiques bien dosés au régime alimentaire, on accélère le processus de guérison.

Par l'exercice, nous pouvons transformer à fond l'ensemble des substances alimentaires en énergie active. Nous parvenons ainsi à brûler complètement tout résidu qui autrement encombrerait l'organisme et l'intoxiquerait. L'exercice requiert, d'une part, un combustible supplémentaire, d'où l'importance d'un choix judicieux des aliments consommés, par conséquent.

D'autre part, l'exercice est générateur de toxines. Le muscle en action produit des déchets résultant de la combustion des matières énergétiques. Ainsi la contraction musculaire laisse des sous-produits comme le gaz carbonique, l'acide lactique, l'acide pyruvique, etc. Si ces sous-produits ne sont pas convenablement éliminés, ils intoxiquent alors l'organisme en l'acidifiant davantage.

Voilà pourquoi l'exercice doit être correctement dosé chez l'arthritique ou le rhumatisant. Au début, il convient de s'y adonner très progressivement, sans jamais dépasser les limites établies par la condition du malade. Au fur et à mesure que l'organisme se désintoxique et que le système musculaire fonctionne mieux et élimine plus facilement les déchets résultant de sa mise en activité, on peut intensifier l'exercice.

Sur le plan pratique, tout ceci signifie que les premiers exercices qui conviennent au traitement de l'arthritisme sont des exercices respiratoires. Par la respiration complète, on fournit à l'organisme l'oxygène nécessaire à la purification de nos tissus.

Les exercices respiratoires sont très simples. Ils consistent à inspirer et à expirer la plus grande quantité d'air possible. On les pratique de préférence à l'extérieur ou devant une fenêtre ouverte.

L'inspiration se fait par le nez, lentement. On gonfle d'abord la partie inférieure des poumons en relâchant la musculature abdominale. Sans rentrer le ventre, on soulève ensuite les côtes, puis finalement on bombe la poitrine, en ayant bien soin de forcer l'inspiration à ce moment. L'inspiration peut durer de 10 à 15 secondes. On conserve l'air inspiré durant 2 ou 3 secondes, puis on passe à l'expiration. On vide d'abord le haut des poumons en laissant tomber la poitrine en expirant par le nez. On abaisse ensuite les côtes, puis l'on contracte les abdominaux pour chasser l'air des poumons le plus complètement possible. Dans les derniers moments de l'expiration, on peut souffler l'air par la bouche pour intensifier l'effort expirateur. On débarrasse ainsi les poumons d'une forte quantité de déchets toxiques. L'expiration doit durer de 6 à 10 secondes. On reprend alors l'inspiration et on répète le cycle, une dizaine de fois.

Au tout début, on procédera lentement car une trop forte oxygénation chez celui qui n'y est pas habitué peut provoquer certains petits malaises, des étourdissements, entre autres. Ceux-ci passent rapidement et n'ont rien de dangereux.

Les exercices respiratoires permettent de réaliser une excellente gymnastique des muscles du torse. Au bout d'un certain temps, variable selon le cas de chacun, on passera aux exercices articulaires. Ceux-ci consistent à faire bouger les diverses articulations, dans la plus grande amplitude possible. Ces exercices n'impliquent pas une dépense énergétique considérable. La répétition de chaque mouvement une vingtaine de fois suffit à assurer d'excellents résultats. Nous ne décrirons pas ici les mouvements impliqués. Ce sont ceux qui permettent de faire jouer les articulations en tout sens. Les exercices articulaires doivent être pratiqués tous les jours.

Au bout d'un certain temps, également variable selon l'état de chacun, on doit passer aux exercices musculaires proprement dits. Ce sont des exercices qui permettent d'engager plus à fond la musculature. Ils se pratiquent avec des charges, poids ou haltères, ou encore en se servant du poids de son corps comme résistance.

On aura aussi avantage à s'adonner à des exercices d'endurance organique. Cette forme d'exercice permet de solliciter plus particulièrement le muscle cardiaque.

L'arthritisme nécessite une lente progression dans le dosage des exercices. Il faut, dans toute la mesure du possible, éviter les courbatures qui résultent d'une mauvaise élimination des déchets de la combustion musculaire. En procédant très lentement, on parvient à réduire les courbatures au minimum et on évite alors de surcharger inutilement l'organisme en toxines. Bien plus, celui-ci en arrive à mieux éliminer ses déchets, ce qui favorise la désintoxication.

L'avantage principal, cependant, est le fait que l'exercice permet d'utiliser à fond les substances nutritives que nous fournissons à notre organisme. En brûlant complètement ces substances, on évite l'accumulation de déchets, principalement ceux qui proviennent des matières azotées. On supprime ainsi la cause même de l'arthritisme. Faut-il ajouter que l'exercice en soi est l'un des meilleurs moyens de prévenir les manifestations arthritiques!

LA TRANSPIRATION

"L'exercice physique d'une certaine énergie et de quelque durée amenant la désintégration des protides et l'élimination de leurs déchets, constitue le traitement le plus rationnel et le plus efficace de l'arthritisme sous toutes ses formes, puisque cette diathèse résulte essentiellement de l'insuffisance du métabolisme des protides."

Dr. J.E. Ruffier.

L'exercice physique, pratiqué avec intensité et suffisamment longtemps, entraîne une forte transpiration. La chaleur fait aussi transpirer. Mais il existe une grande différence entre ces deux types de transpiration.

Soulignons d'abord que la peau est, entre autres choses, un organe d'élimination. Elle est pourvue d'innombrables glandes sudoripares et sébacées qui, tout comme le rein, éliminent une foule de déchets, dont ceux du type azoté directement impliqués dans l'arthritisme. La peau accomplit ce travail d'élimination continuellement. La transpiration semble parfois imperceptible, c'est le cas lorsque le corps est au repos par temps frais. Il produit pourtant une faible mais continuelle évaporation. Par temps chaud, par contre, on peut voir la sueur recouvrir la peau.

Au cours de l'exercice, même par temps froid, la transpiration peut être abondante selon l'intensité et la durée du travail musculaire. La sueur provoquée par l'exercice est beaucoup plus chargée en déchets toxiques que celle qui est provoquée par la chaleur. La sueur qui résulte de cette dernière s'apparente à une déshydratation et contient surtout de l'eau et du chlorure de sodium. On y retrouve qu'une faible teneur en acide urique. Par contre, la sueur qui provient d'un exercice intense, s'identifie à une véritable action dépurative. Elle est très chargée en acide urique, en urates et en cholestérol. Une expérience devenue classique démontre clairement la supériorité dépurative de la sueur qui résulte d'un effort physique sur celle qui provient de la chaleur. On injecte à un cobaye quelques centimètres cubes d'une sueur provenant d'un bain de vapeur. Il ne s'en trouve nullement incommodé. Mais si on lui injecte une même quantité de sueur provenant cette fois d'une personne soumise à un exercice intense, l'animal en meurt rapidement. C'est le signe que cette sueur renferme beaucoup plus de toxines et de poisons que la sueur provoquée par la chaleur.

Comme moyen de désintoxication, l'exercice est donc supérieur à toutes les autres techniques. Néanmoins, cet excellent moyen ne peut être utilisé par tous. Pour que l'exercice produise vraiment un effet dépuratif valable, il doit être intense. Or, les arthritiques et les rhumatisants, dans la plupart des cas, ne peuvent pas s'adonner à des séances d'exercices de ce genre. Ils doivent procéder lentement, comme nous l'avons indiqué lorsque nous avons traité d'exercice physique. Il leur faut aussi utiliser correctement la chaleur pour en tirer les plus grands profits possibles.

8

La peau, la chaleur
et le sauna

La peau

Regardons, de façon plus particulière, l'action de l'hydrothérapie et du bain sauna sur le corps humain, en particulier, dans les cas d'arthritisme. Attardons-nous également au rôle des capillaires.

Les capillaires constituent le réseau sanguin intermédiaire entre les artères et les veines. Ils présentent des variations de calibre, mais ce qui les caractérise essentiellement, c'est qu'ils sont le siège des échanges qui assurent la nutrition cellulaire. Les capillaires jouent un rôle important dans la défense de l'organisme: ils laissent passer, par les interstices cellulaires de leur paroi, les globules blancs qui vont exercer leur pouvoir phagocytaire. L'endothélium des capillaires, membrane filtrante, règle les échanges entre le sang et les liquides extra-cellulaires.

Le docteur P.P. Solmanoff dira à propos des capillaires: ''Je me suis efforcé d'agir sur les capillaires pour les dilater lorsqu'ils sont spasmés, pour cela faire disparaître l'atonie paralytique, pour en améliorer la perméabilité et ce, dans tous les domaines de la médecine avec des résultats qui, je ne crains pas de l'affirmer, sont plus constants, plus régulièrement obtenus, plus durables que ceux de toutes les thérapeutiques spécifiques; le mode d'action que j'ai employé, c'est la chaleur et le froid sous forme essentiellement de bains locaux ou généraux dont la durée, la température facilement réglables, constituent des moyens d'action d'une précision, d'une souplesse et d'une inocuité merveilleuse.''

''L'énergie que nous appelons la chaleur ne se répand pas de la surface de la peau dans l'intérieur de l'organisme comme se répand la chaleur d'une bouillotte métallique; il se produit des réactions innombrables ainsi que des mouvements rééducatoires entre les capillaires nerfs, liquides extra-cellulaires (membranes cellulaires), des changements dans les potentiels physiques et chimiques, la circulation dans les vaisseaux sanguins et lymphatiques s'anime, les ondulations dans les liquides extra-cellulaires deviennent plus actives, le plasma et le liquide céphalo-rachidien sont renouvelés plus rapidement, le transport des substances nutritives et l'élimination des déchets sont grandement facilités''.

La chaleur

Hydrothérapie et bains de vapeur.

Trois facteurs essentiels régissent le passage des liquides à travers les parois capillaires.

1) L'étendue totale de la surface filtrante.
2) La perméabilité de la paroi.
3) La pression exercée de part et d'autre de la membrane.

Dans la plupart des troubles fonctionnels, l'état des capillaires constitue presque toujours un facteur de premier ordre.

Les liquides constituent 90% de la substance de l'homme. Ces liquides sont entre autres, le sang, la lymphe, la bile, la salive, le liquide céphalo-rachidien, etc.

Quatre grands systèmes assurent le transport des liquides et de l'oxygène dans l'organisme. Ce sont:

— Le système respiratoire qui assure l'oxygénation de tous les tissus et l'élimination de gaz carbonique. Il comprend la cavité nasale, le pharynx, le larynx, la trachée, les bronches et les poumons.

— Le système circulatoire qui assure l'irrigation sanguine de tout l'organisme. Il est constitué du coeur, des artères, des artérioles, des capillaires, des veines et des veinules.

— Le système lymphatique qui assure l'immunisation, la protection de l'organisme, est formé de la grande veine lymphatique, du canal thoracique et des ganglions, des vaisseaux lymphatiques et de la rate.

— Le système digestif est constitué de la bouche, du pharynx, de l'oesophage, de l'estomac, du duodénum, de l'intestin grêle du gros intestin et du rectum. Il assure l'élimination des déchets de l'organisme.

Ensuite il y a la musculature et les viscères, les poumons, le coeur, le foie, le cerveau, etc..., qui sont irrigués par d'innombrables réseaux vasculaires. Toute alimentation solide se transforme en liquide et ce liquide, sans arrêt, coule à travers les canaux et les canalicules.

Pour que les organes fonctionnent normalement, il faut qu'il y ait une oxygénation continuelle de l'organisme; il faut également que la composition du sang, de la lymphe et des liquides interstitiels et intra-cellulaires soit normale.

Les changements qualitatifs ou quantitatifs dans la composition des liquides provoquent des troubles pathologiques. Le sang et la lymphe circulent sans arrêt dans l'organisme; il est alors nécessaire de stimuler ces fluides dont le réseau circulatoire est considérable.

Si nous voulons que notre corps fonctionne bien, nous devons le décrasser par un travail accru des quatre émonctoires qui sont: la peau, les poumons, les reins, l'intestin.

Après le nettoyage des reins, de l'intestin et des poumons, il reste la cure de désintoxication de la peau. Le revêtement cutané n'est pas seulement un organe sensoriel et éliminateur. Il n'y a pas que des excitations et des excrétions qui s'établissent à sa surface. De nombreuses absorptions matérielles et impondérables s'accomplissent au travers de la peau.

La peau est une enveloppe recouvrant la surface du corps. Elle est résistante, élastique, flexible et extensible.

Elle forme un revêtement complet qui assure au corps une protection mécanique et un lien qui permet des échanges matériels et énergétiques. La peau comprend une couche superficielle, l'épiderme et une couche profonde appelée derme.

C'est par ce réseau très dense de terminaisons nerveuses spécialisées qui détectent la présence des autres corps, solides, liquides et gazeux que la peau perçoit aussi la pression, le froid, la chaleur, la consistance.

L'organe sensoriel qu'est la peau, agit sans cesse sur l'organisme. La sensibilité thermique favorise par vaso-constriction et dilatation sur son réseau vasculaire. La peau est un des pôles de l'équilibre thermique du corps. La vaso-constriction est un mécanisme d'épargne de la chaleur car il y a des échanges d'énergie qui se font au travers de la peau. La peau est aussi un organe d'élimination. Par simple évaporation, elle élimine constamment de l'eau. Elle sécrète un liquide gras, le sébum produit par les glandes sébacées qui siègent dans l'épaisseur du derme: cette sécrétion maintient la peau imperméable et souple. Une peau normale a un (pH) acide.

La sueur, un élément d'élimination qui provient des glandes sudoripares, est un liquide composé d'eau, de sels, dont le chlorure de sodium, d'urée et de substances odorantes. La sueur éliminée est alcaline mais au contact de la surface cutanée, elle devient acide. Son rôle principal est de lutter contre l'élévation de la température du corps qui reste constante à l'état normal, alors que la chaleur est fabriquée dans l'organisme d'une façon continue.

Le système sudoripare a une fonction importante, celle d'éliminer certaines substances toxiques contenues dans le sang ainsi que différents déchets provenant des combustions cellulaires comme l'urée: c'est donc un auxiliaire précieux du rein comme organe épurateur.

Les glandes sébacées respirent et exhalent des gaz carboniques et sécrètent une substance grasse, le sébum.

La couche basale de l'épiderme raffine les déchets et les résidus charriés par le sang et la lymphe jusqu'à ses assises inférieures. En fait la peau est une sorte de laboratoire: elle respire, élimine, filtre et épure les déchets. Une peau saine et active peut sécréter chaque jour autant de poisons qu'en rejette la moitié d'un rein, ce qui équivaut au quart du filtre-rénal.

On saisira d'autant mieux l'importance des bains thermiques, sauna ou de vapeur pour soigner et entretenir cet organe excréteur et régulateur qu'est la peau. La respiration de la peau favorise un apport d'oxygène, véhiculé par le sang à toutes les cellules et préservant ainsi l'équilibre de tous les organes.

L'hydrothérapie chaude

''Quand la peau, les poumons, les reins ne peuvent plus régler l'équilibre acido-basique, la transpiration reste la dernière possibilité d'élimination pour les substances nocives. La dérivation continuelle sur la peau présente une grande diminution de travail pour les organes de la circulation (capillaires, artères, coeur).''

Dr A. Salmanoff.

L'hydrothérapie chaude, sous forme de bains chauds, convient tout particulièrement aux arthritiques et aux rhumatisants. Elle permet d'obtenir des effets thérapeutiques puissants et variés: réchauffement, apaisement, détente, élimination.

Le bain chaud se prend comme suit: on commence d'abord par prendre une douche chaude pour bien débarrasser la peau de toute impureté. À la fin de la douche, une bonne friction au gant de crin tonifie l'épiderme et active la circulation périphérique. La chaleur de celle-ci doit se situer entre 36,1 degrés C et 38,3 degrés C. La chaleur de l'eau doit être agréable à supporter, quoique élevée. On se laisse tremper une quinzaine de minutes. On sort ensuite du bain pour revêtir une robe de chambre en ratine ou se couvrir d'une grande serviette, puis l'on s'allonge pendant une vingtaine de minutes. Le corps doit alors suer abondamment. On peut, en terminant, prendre une douche tiède, ou tout simplement s'éponger.

Le bain chaud se prend de préférence avant le coucher et lorsque cela ne fatigue pas le malade, on le conseille quotidiennement. On peut augmenter l'efficacité du bain chaud en lui ajoutant un sachet d'algues marines micro-éclatées, de pin de sapin ou autre.

Les bains aux algues marines sont excellents pour lutter contre les carences en minéraux et en oligo-éléments. Si une articulation ou une partie quelconque du corps est douloureuse, il convient de la masser avec un gant de crin.

Les algues marines renferment des principes vitaux de toute première valeur. En effet on y trouve les vitamines hydrosolubles B et C, des vitamines liposolubles, A, D, E, F et un stérol D, spontanément activé par les rayons du soleil. On y trouve aussi tous les minéraux et les oligo-éléments essentiels à la santé de l'homme.

Une certaine assimilation de ces substances se produit, au niveau de la peau procurant alors un sentiment de bien-être peu commun; de plus il calme souvent les douleurs arthritiques. On peut également ajouter du gros sel de mer à l'eau du bain.

Le bain salé: Ce bain est également bénéfique, il faudra alors ajouter à l'eau du bain de ½ à 1 tasse de gros sel de mer.

Le bain de prêle:

Le bain de prêle, si riche en silice, peut être ajoutée à l'eau du bain chaud. L'effet de la prêle sur les douleurs arthritiques et rhumatismales est incontestable.

On a appelé la prêle ''le chirurgien sans bistouri'', grâce toujours à son fort pourcentage de silice, elle débarrasse le corps des toxines et lutte contre l'inflammation. Il faudra alors ajouter à l'eau du bain, de 2 à 4 litres d'infusion de prêle préparé comme suit: 2 à 4 cuillerées à table (30 à 60 ml) de prêle séchée ajoutée à un litre d'eau; temps d'infusion: de 5 à 15 minutes. Si les douleurs arthritiques ou rhumatismales se situent aux mains, le bain de mains à la prêle est recommandé. Il faudra alors utiliser uniquement 1 litre et demi d'infusion auquel on ajoutera, à l'occasion, ¼ de tasse (60 ml) de gros sel de mer. Il faudra non seulement y faire tremper les mains, mais y faire des exercices avec une petite balle. L'infusion de prêle utilisée pour le bain de mains peut servir une deuxième fois.

Fréquence de ce bain (pour les personnes persévérantes qui veulent lutter efficacement contre la maladie): 1 ou 2 fois par jour (de 10 à 15 minutes). L'été, vous pouvez cueillir la prêle, la faire sécher et vous en faire de bonnes provisions.

Le bain à l'ortie:

On peut procéder de la même façon avec l'ortie, cette plante fort minéralisante et utiliser en alternance, le bain chaud à la prêle et le bain chaud à l'ortie. On peut également se procurer un concentré liquide d'ortie spécialement préparé pour l'hydrothérapie.

Plusieurs autres substances naturelles peuvent être ajoutées à l'eau du bain. Certaines personnes arthritiques apprécient grandement le mélange suivant:

Une tasse de gros sel de mer (240 ml)
Une tasse de sulfate de magnésium (240 ml)
¼ de tasse (60 ml) de bicarbonate de soude (sel de Vichy).

Ce bain est minéralisant.

La transpiration:

La transpiration est la fonction la plus importante de la thermogénèse. En fait, elle est le phénomène physiologique de la désintoxication, déclenché par les centres nerveux défensifs de l'organisme.

Comme nous l'avons vu, la transpiration provoque l'écoulement de la sueur qui contient surtout de l'eau, des sels, des acides gras volatils, des toxines et de l'urée.

La sueur qui ressemble à de l'urine diluée, très peu toxique, est une sorte de liquide transparent, incolore, de saveur salée.

Les glandes sudoripares qui la produisent, sont au nombre de deux millions. La sécrétion de la sueur dépend du système nerveux sympathique qui agissant par réflexe comme régulateur thermique de la température du corps.

Le docteur Max-Roger Boutine, au cours de ses expériences, a constaté que pendant le bain, la quantité de sodium excrétée diminue et que la quantité de potassium rejetée s'accroît. La déperdition d'eau par voie pulmonaire (évaluée en situation normale à (16 gm par heure) se trouve multipliée par deux, trois et même par quatre).

Ainsi le docteur Boutine écrira au sujet des bains sauna:

"Les perturbations des échanges hydro-électrolytiques représentent le deuxième effet spécifique majeur du Sauna. On peut estimer les pertes qu'il détermine: en eau, à 6% de la masse liquidienne extracellulaire; en sodium, à 3% du sodium extra-cellulaire; en potassium, à plus de 10% du potassium extra-cellulaire".

Le docteur Salmanoff écrira:

"Les malades avec un métabolisme troublé, éliminent pendant un bain hyperthermique (durée une heure) plus de substances acides que les reins pendant 24 heures".

Évidemment, on devrait adopter comme règle de conduite une modération dans les phases du bain, ainsi que dans la durée et le nombre de fois par semaine. Il faut éviter l'excès, car l'excès en tout est un défaut. Il faut que chacun sache l'utilisation qu'il fait du sauna. "Le bain est un puissant allié dans les cas d'arthritisme, et de goutte qui sont des maladies acidifiantes dont les dépôts d'acide urique peuvent se déposer dans les articulations, la tête et le dos." Le docteur Salmonoff dira: "la santé est dans votre baignoire". Le docteur Salmanoff estime que "ce sont les bains hyperthermiques qui constituent la méthode la plus puissante et la plus efficace. Si la respiration, la circulation, l'élimination des déchets sont suffisants, ils déterminent l'issue des différentes arthrites. Il y a peu de rhumatisants chez les pratiquants de bain de vapeur ou du sauna." Donc, l'eau est un remède indispensable pour les maladies chroniques telles les arthrites, les rhumatismes, etc., car le rétablissement de la santé dépend dans une large mesure de l'application convenable des divers traitements hydriques.

Les bains salés:

"Le sodium sous forme de bains salés influence considérablement le métabolisme ostéoligamentaire et cartilagineux."

Le sauna

De tous les bains de chaleur qui existent, le sauna est, sans contredit, le plus efficace. Il procure une chaleur sèche qui permet une transpiration abondante en même temps qu'une relaxation bienfaisante. Son but principal est la désintoxication provoquée par la sudation.

Il ne faut pas abuser des séances de sauna. Une ou deux séances par semaine suffisent. L'abus du sauna peut fatiguer inutilement l'organisme.

La température du sauna se règle à volonté. Certains préfèrent des températures plutôt chaudes, dépassant 82,2°C, d'autres se sentent mieux à 60°C. L'important est de bien choisir la température la plus propice à la détente et à la relaxation.

La séance de sauna se déroule comme suit: on prend d'abord une douche, toujours pour bien débarrasser la peau des saletés qui peuvent l'encombrer. Cette douche, dans le cas des arthritiques et des rhumatisants, doit être chaude. On passe ensuite dans le sauna qui doit avoir atteint la température choisie. On y reste une dizaine de minutes. Déjà, la transpiration doit être abondante. On sort alors du sauna pour prendre une autre douche, tiède cette fois. Puis, on retourne dans le sauna pour y séjourner encore une dizaine de minutes. On transpire alors plus abondamment. Vers la fin de ce second séjour, on peut jeter un peu d'eau sur les pierres pour provoquer une augmentation de la chaleur. À la sortie du sauna, on se dirige à nouveau vers la douche que l'on prend tiède, une fois de plus. Vient ensuite la période de relaxation, indispensable à toute bonne séance de sauna. On s'enveloppe chaudement si l'air ambiant est quelque peu froid, puis l'on s'étend pendant une vingtaine de minutes. On prend ensuite un bon jus de fruits ou de légumes frais, préparé à l'aide d'un extracteur à jus, si la soif se fait sentir. On prend finalement une dernière douche tiède en savonnant la peau à fond pour enlever complètement les déchets contenus dans la sueur.

Il convient ici de rappeler que le sauna doit laisser une sensation de bien-être et d'euphorie. Si vous vous sentez quelque peu accablé après votre séance, c'est qu'elle vous fatigue inutilement. Abaissez la température du sauna ou écourtez vos séjours. Vous devez découvrir la méthode qui favorise le plus, chez vous, la détente et la relaxation.

Pris à la fin d'une journée, le sauna favorise un sommeil réparateur.

9

Les cataplasmes

LE CATAPLASME D'ARGILE:

"Avec le soleil, l'air et l'eau dont elle capte les principes vitaux, l'argile constitue le plus puissant agent de régénération physique."

Raymond Dextreit.

L'argile possède de merveilleuses propriétés. C'est une terre grasse sur laquelle rien ne pousse. Elle peut être rouge, blanche, verte, ou grise. Ses propriétés varient selon sa couleur. Pour les douleurs arthritiques, l'argile verte s'avère supérieure.

L'argile s'utilise principalement sous forme de cataplasmes. Dans les états de crises aiguës avec fièvre, où il y a inflammation des articulations, on emploie des cataplasmes d'argile froide pour les rafraîchir.

Parfois, certaines personnes supportent mal les cataplasmes d'argile froide. Elles doivent alors utiliser l'argile chaude.

On peut mélanger de l'ail râpé à l'argile préparée sous forme de boue. En utilisant ce mélange pour frictionner les endroits douloureux, on obtient d'excellents résultats.

Le traitement des états chroniques nécessite l'application d'un seul cataplasme d'argile par jour. Cette application doit cependant se faire assidûment. Dans les états de crises, on appliquera les cataplasmes deux ou trois fois par jour. Chaque cataplasme se conserve de deux à quatre heures.

Dans le traitement de la décalcification et de l'arthrite de la colonne vertébrale, on appliquera de l'argile tiède sur toute la longueur de la colonne.

Dans le lombago, l'argile s'applique en cataplasme épais et chaud sur le siège de la douleur.

On prépare les cataplasmes d'argile en délayant de l'argile dans un peu d'eau. Il faut éviter de mettre trop d'eau, sinon la pâte risque de couler. La consistance idéale est celle d'une boue épaisse. On étend celle-ci sur un linge que l'on dépose sur l'endroit voulu. Si le cataplasme doit être déposé sur une plaie, il est préférable de placer un morceau de gaze entre la boue argileuse et la plaie. On évite ainsi que le cataplasme ne colle au moment où on devra l'enlever.

LE CATAPLASME DE CHOU:

Les feuilles de chou vert aident à décongestionner l'organisme, à chasser les toxines; elles peuvent aussi apaiser les douleurs. Il faut alors de préférence choisir le chou frisé, amincir quelques feuilles en roulant dessus une bouteille ou un rouleau à pâte. Réchauffer les feuilles au four à (180°C ou 350°F) pendant 3 ou 4 minutes, appliquer sur l'endroit douloureux, bien envelopper et laisser en place de 2 à 4 heures. N'oublions pas que le chou contient du calcium. Le cataplasme de feuilles de chou peut être utilisé en alternance avec l'argile.

LE CATAPLASME DE PRÊLE:

Cette plante merveilleuse peut être appliquée en cataplasme mais, il est alors nettement préférable qu'elle soit utilisée lorsqu'elle est fraîche, c'est-à-dire peu de temps après la cueillette. Autrement, il faudra mouiller et réchauffer la prêle sèche (au four) avant de l'appliquer sur les endroits douloureux. N'oublions pas qu'elle contient de la silice et de la chaux. Ici aussi, comme en hydrothérapie, le cataplasme d'ortie pourra remplacer occasionnellement la prêle.

LE CATAPLASME DE NAVET: (RUTABAGA)

Le navet orange est un légume qui peut aider à atténuer les douleurs aux os. Il aide à minéraliser l'organisme grâce à son calcium et à son magnésium. Faire cuire le navet au four à (180°C ou 350°F) jusqu'à ce qu'il soit bien tendre. Piler le navet et l'appliquer sur l'endroit douloureux. Il est important de mentionner que ce cataplasme est particulièrement utile lors de névralgies et de déminéralisation.

LE CATAPLASME DE QUARK:

C'est un cataplasme assez inhabituel mais qui apaise le ''feu'' dans les articulations. Selon les préférences, le quark (fromage maigre en crème) sera appliqué froid ou chaud.

10

Les massages

Les massages sont importants pour les arthritiques. Plusieurs substances naturelles peuvent alors être utilisées

— Le baume de tigre (un produit chinois)
— La teinture de consoude (symphytum)
— La teinture d'Arnica
— Diverses huiles essentielles:
    — L'huile essentielle de menthe.
    — L'huile essentielle de cannelle.
    — L'huile essentielle d'eucalyptus.
    — L'huile essentielle de clou de girofle.

Il faut alors mélanger de 5 à 15 gouttes de l'huile essentielle choisie avec une cuillerée à table (15 ml) d'huile de soya, de tournesol, ou de carthame. Bien homogénéiser et masser. Si la peau est très sensible, il faudra s'en tenir à une proportion de 5 gouttes d'huile essentielle pour une cuillerée à table (15 ml) d'huile. Des huiles de massages aux herbes pourront également être utilisées.

11

L'héliothérapie

La peau est bien plus qu'un simple revêtement. Nous avons vu qu'elle est un organe d'élimination, au même titre que le rein, pouvant débarrasser l'organisme d'une bonne quantité de déchets. On peut aussi la considérer comme un organe de la circulation et une glande.

Régénérée par le soleil, la peau devient un organe circulatoire. Les chauds rayons du soleil entraînent une dilatation des artérioles et des capillaires de la peau provoquant un appel de sang vers la surface du corps, ce qui active la circulation générale et stimule tout le métabolisme.

La peau est aussi une glande. Sous l'effet des rayons solaires, elle synthétise la vitamine D. Or, on connaît l'importance de cette substance par la santé du système osseux dont on sait qu'elle assure la calcification.

Dans tous les états de déminéralisation, l'exposition au soleil est primordiale.

L'action des rayons solaires sur la peau exerce aussi une influence considérable sur la qualité de l'élément sanguin. Elle produit une augmentation du taux d'hémoglobine et du nombre d'hématies. La formule leucocytaire évolue favorablement. Il en va de même pour la teneur du sang en minéraux importants, tels le calcium et le magnésium.

En termes simples, **le soleil est l'un des éléments naturels qui sont absolument essentiels au développement d'un haut niveau de santé.**

12

La minéralothérapie

Les oligo-éléments jouent un rôle catalytique, c'est-à-dire qu'ils permettent, par leur présence, qu'une réaction déterminée ait lieu dans un temps biologiquement actif. Ce n'est pas la masse qui agit mais bien la présence.

L'oligo-élément est un bio-catalyseur. Par bio-catalyseur, on entend tout élément ou toute substance négligeable par sa masse et possédant une action spécifique indispensable à l'évolution de l'être vivant. Les oligo-éléments visent à normaliser les métabolismes perturbés; de cette façon, l'organisme réussit à se défendre naturellement contre les causes pathogènes. Tous les métabolismes de tous les êtres vivants sont conditionnés par l'action catalytique d'une trentaine d'oligo-éléments alors, pourquoi ne pas les employer? Des préparations spéciales de haute activité biologique (ionisation et agitation moléculaire) préparées par des laboratoires réputés pourront être utilisées lors d'un suivi thérapeutique. Lors de problèmes arthritiques, ils constituent des compléments souvent indispensables à la nourriture.

N.B.: les sources alimentaires citées de minéraux contiennent certains aliments que les arthritiques doivent consommer avec modération.

LE FER:

Le fer est un constituant essentiel de l'hémoglobine. Il agit comme constituant de l'hémoglobine dans le foie et la rate, sous la forme d'une combinaison protéinique: la ferriture. Il agit comme accélérateur enzymatique, il entre dans la composition de l'hémoglobine, les cytochromes et le ferment rouge respiratoire. La carence de cet oligo-élément entraîne une oxydation défectueuse et, par la suite une intoxication lente.

Sources: germe de blé, persil, jaune d'oeuf, épinard, huile de noix de Grenoble, abricot, datte, mélasse noire, pêche, prune, raisin, cresson, amande, riz brun, oignon, poireau, cerise, miel, artichaut, betterave, laitue, poireau, chou de Bruxelles, etc.

LE MANGANÈSE:

C'est un oligo-élément dont l'activité catalytique est indispensable à d'importances fonctions vitales.

Le manganèse est excellent dans la diathèse arthritique. Il agit en synergie avec le cuivre, il confère également une action sur la synthèse de l'acide ascorbique.

L'utilisation du calcium et du phosphore se fait mal en son absence qui entraîne l'apparition de maladies osseuses. Le manganèse et le cuivre sont nécessaires dans les cas d'arthrites déformantes, d'arthroses lors de relâchement des ligaments entraînant des déplacements de disques intervertébraux puis dans la tuberculose osseuse et le rachitisme.

Sources: légumes verts, abricot, poissons de mer, blé, les noix, l'orge, le riz, l'épinard, les champignons, la betterave, la laitue, le maïs, le cresson, l'abricot, la prune, l'asperge, le céleri, les dattes, la pomme de terre, les raisins, la poire, la carotte, l'oignon, la chicorée, les cerises, les pommes, les oranges, etc.

LE CUIVRE:

Le cuivre intervient dans la synthèse de l'hémoglobine. Il intervient également dans le développement des os. Une carence entraîne une très grande fragilité des os, car l'insuffisance de cuivre gêne la fixation du calcium et du phosphore.

Les sels de cuivre possèdent un effet anti-inflammatoire. Le cuivre et l'acide ascorbique ou vitamine C, lorsqu'ils sont associés, favorisent l'auto-défense et la constitution d'anticorps et d'antitoxines dans l'organisme.

Sources: amande, noisette, noix, blé entier, asperge, maïs, orge, radis, betterave, orange, poireau, datte, carotte, poire, champignon, chou-fleur, épinard, cerise, pomme, raisin, miel, jaune d'oeuf, etc.

LE ZINC:

Le zinc est indispensable à la synthèse de certains enzymes et comme constituant de quelques-unes d'entre eux. Cette carence cause un déséquilibre du cuivre ou du calcium.

Voici ce que font en synergie les oligo-éléments: Ils agissent sur la diathèse neuro-arthritique. Ils ont une action catalytique lors de dysfonctionnement neuro-végétatifs. Ils ont des effets au tout début des réactions biochimiques de chaque cellule du corps. La régularité du système neuro-végétatif est la sauvegarde de la structure ostéo-articulaire de l'arthritique, minimisant les effets nocifs du stress sur la réserve minérale des os. Si le système neuro-végétatif ne joue pas ce rôle il y a alors passage de l'arthrite non lésionnel (arthralgie fugace) à l'arthrite lésionnel.

Sources: betterave, blé entier, orge, maïs, chou, laitue, champignon, tomate, carotte, pêche, épinard, orange, graines de citrouille, etc.

Les oligo-éléments permettent d'obtenir la cicatrisation de lésions considérées jusqu'à nos jours comme absolument définitives (arthroses ou lésions arthrosiques). Ils agissent bien au niveau des diathèses arthro-infectieuses. Deux mélanges spécialement dosés d'oligo-éléments agissant sur les terrains arthrosiques et donnés de façon complémentaire seront très utiles dans ces cas. Ils agiront évidemment à long terme.

L'IODE:

L'iode se retrouve dans la glande thyroïde.

Les hormones liées à l'action catalytique de l'iode agissent sur le fonctionnement neuro-musculaire et influent sur le niveau mental et la croissance globale de l'individu.

Associé aux autres oligo-éléments, il agit bien sur le terrain arthritique, arthro-infectieux ou neuro-arthritique. L'iode est à conseiller chez les rhumatisants hypertendus. Il a une action sur le foie, les muscles, les fonctions génitales, sur la circulation, sur le psychisme; de plus il joue un rôle antitoxique et anti-infectieux.

Sources: algues, radis, poireau, oignon, ail, haricots verts.

LE MAGNÉSIUM:

Voici un bref compte-rendu du premier symposium international sur le déficit magnésique en pathologie humaine, tenu en septembre 1971, à Vittel, en France.

Ce premier symposium international sur le rôle du déficit magnésique en pathologie humaine, réunissant des chercheurs de nombreux pays, montre l'importance primordiale qu'occupe aujourd'hui le magnésium en biologie et en pathologie.

"L'importance du rôle du magnésium dans l'organisme est connue de longue date. Cation essentiel polytissulaire nécessaire à l'intégrité anatomique et fonctionnelle de nombreux organes; le magnésium participe à tous les grands métabolismes comme catalyseur de système enzymatiques intra-cellulaire. Il est indispensable au parfait développement physique et psychique de l'organisme. Il intervient aussi dans d'autres domaines, en particulier, sur les plans ostéo-articulaire, rénal, endocrinien, cardio-vasculaire et gynécologique. La ration magnésique apparaît dans de nombreuses régions comme insuffisante (dans la plupart des pays industrialisés) et les carences en magnésium occupent aujourd'hui, dans la pathologie humaine, une place authentique universellement reconnue. Ainsi, la pathologie magnésique, loin d'être exceptionnelle, doit être évoquée dans l'exercice quotidien de la médecine moderne.''

"Les rapports calcium-magnésium sont intimes et complexes: ainsi tout traitement assurant un apport de calcium élevé est un facteur de déficit magnésique et nécessite donc une recharge de l'organisme en magnésium. Inversement dans de nombreuses affections s'accompagnant de perte calcique, l'apport de magnésium assure, une meilleure conservation du calcium.''

Le magnésium et les os

"Le magnésium agit directement sur l'os en accroissant la mobilisation du calcium par déplacement de celui-ci et, indirectement, en agissant sur l'hormone parathyroïdienne, la sécrétion de celle-ci étant stimulée par une hypomagnésémie, et diminuée par une hypermagnésémie.''

F.W. Heaton.

Le magnésium et la pathologie ostéo-articulaire

"Le déficit magnésique est connu en rhumatologie comme facteur d'ostéoporose. Le déficit magnésique intervient dans le métabolisme phosphocalcique de l'os d'une part et dans les phénomènes inflammatoires d'autres part.''

"Le déficit magnésique entraîne une chute de la concentration du magnésium osseux et attire la minéralisation osseuse. L'ostéoporose, quelle que soit sa cause, s'accompagne du déficit magnésique. Dans les affections articulaires aiguës, le magnésium agit comme anti-inflammatoire.''

"L'os carencé en magnésium subit un véritable ''vieillissement'' avec ralentissement métabolique.''

"L'intérêt de la magnésothérapie dans les *ostéoporomalacies est certain, positivant le bilan calcique. Les propriétés anti-inflammatoires du magnésium dans les rhumatismes sont dues à l'action du magnésium sur la stabilité de la perméabilité vasculaire et cellulaire. À l'inverse, le déficit magnésique constitue un facteur favorisant de l'inflammation.''

J.-Durlach (France)

Magnésium et nutrition:

Magnésium et glucides:

"Une ration riche en glucides accroît les besoins en magnésium, la carence magnésienne abaisse le stock glycogénique, accélère la pénétration cellulaire du glucose."

P. Larvor et J. Durlach (France).

Magnésium et thérapeutique:

"Carences d'apport et déperdition par voie digestive. Un régime hyperprotidique (très riche en protéines) augmente les besoins en magnésium. Le magnésium est un métal blanc très léger. La cellule nerveuse est spécialement intéressée par ce corps. Les organes nerveux les plus riches en magnésium sont: le cortex, la substance blanche cérébrale, le cervelet et la moelle épinière. Le taux de magnésium est plus élevé dans le liquide céphalo-rachidien que dans le sérum. Le magnésium entre en combinaison avec les protéines et joue un rôle important dans l'ossification. Il détermine certaines oxydations cellulaires; il participe aussi à l'élimination ou à la rétention du calcium et il équilibre la sécrétion d'adrénaline provenant des glandes surrénales."

J.P. MAURAT (France).

Le magnésium est un calcifiant pour les os. Il aide puissamment à fixer le calcium sur les os, à les faire durcir. La carence en magnésium gêne le métabolisme du calcium, provoque la formation de dépôts calcaires dans certains viscères aussi bien que dans les artères et nuit à la formation et à l'entretien du tissu osseux. Chez les arthritiques et les arthrosiques, il prépare le terrain en vue de recevoir les oligo-éléments. Le magnésium exerce une action importante sur les vitamines et surtout sur le complexe des vitamines B, nécessaire au bon fonctionnement du système nerveux. Le magnésium assouplit la musculature et les articulations.

Le magnésium prévient la raideur musculaire généralisée. La carence en magnésium est aussi cause de douleurs dans les épaules, de crampes, de sciatiques et de névralgies, de spasmes et de crampes irradiant dans le dos. Étant donné le rapport direct qu'a le magnésium avec le métabolisme de la cellule nerveuse, il est recommandé dans les phénomènes névritiques, telles les algies d'origine arthrosique par inflammation des racines nerveuses au voisinage des zones arthrosiques inflammées. Sans agresser l'organisme, il désintoxique en profondeur en faisant appel aux forces autogènes de ce dernier.

Il est le protecteur de l'appareil circulatoire. Une carence marquée en magnésium entraîne des lésions graves des vaisseaux sanguins et du coeur ce qui porte le coeur à battre plus rapidement, les vaisseaux sanguins à se dilater, entraînant une basse pression artérielle. De plus, il aide à prévenir, la goutte, l'arthrite et les maladies des os. Il nettoie le contenu de l'estomac trop acide. Il débarrasse l'estomac et l'intestin des produits non digérés et sert de véhicule à l'élimination des toxines causées par une alimentation fautive. Donc, c'est en veillant à l'équilibre calcium-phosphore et à celui du chlorure de potassium que nous éviterons les maladies de dégénérescence tout en favorisant la fixation du calcium. Le rapport du complexe magnésium-calcium-phosphore-silice contribue à l'élimination du calcium pathologique, c'est-à-dire des dépôts calcaires qui sclérosent les artères et leur font perdre leur élasticité. La carence produit également des douleurs vives, changeantes, spasmodiques, au sommet de la tête et le long de la colonne vertébrale, surtout entre les épaules.

Lorsque nous demandons aux neurochirurgiens combien de temps ces douleurs vont durer, ils répondent toute la vie.

Le magnésium exerce une action défatiguante, car il est indispensable à la transformation du glycogène en acide lactique; il nettoie l'organisme en douceur.

Sur les arthritiques en général, il a un effet cholagogue, il favorise l'écoulement de la bile.

C'est en veillant à l'équilibre du calcium, du phosphore, du magnésium, du potassium, de la silice que nous éviterons les maladies de dégénérescence. De plus, en favorisant la fixation de ces éléments cela contribue également à l'élimination du calcium pathologique.

Les besoins en magnésium sont accrus chez les malades neuro-arthritiques.

La carence en magnésium chez l'homme, se traduit par un amaigrissement, de l'asthénie, de la fatigue, des vertiges et de l'irritabilité. Elle provoque en outre, des crises d'angoisse non motivées accompagnées fréquemment de douleurs* précordiales, des crises neuropathiques de même qu'une raideur musculaire généralisée, accompagnée de tremblement dans les muscles. Et n'oublions pas que le magnésium est essentiel à l'assimilation de la vitamine D.

Les sources alimentaires les plus riches en magnésium sont par ordre décroissant: Les légumineuses (sauf les lentilles et le soja que les arthritiques doivent consommer avec modération), le maïs, le blé, les pois, les épinards, le riz, la pomme de terre, le navet, le chou, le radis, la rave.

Le dosage quotidien recommandé (en suppléments) est de un comprimé avant les trois repas lorsqu'il s'agit par exemple d'un magnésium ''chelaté''. Ce dosage pourra être uniquement augmenté lors de recommandations naturopathiques.

LE POTASSIUM:

Le potassium est un métal alcalin qui prédomine dans les globules rouges et une partie du potassium ingéré est excrété dans les urines, mais cette élimination est conditionnée par celle du sodium.

Une alimentation déséquilibrée ne permet pas d'entretenir un milieu sain; au contraire, le milieu deviendra toxique; il s'ensuivra un déséquilibre du liquide intracellulaire qui se traduira par un affaiblissement du terrain et un état de réceptivité accrue aux maladies de dégénérescence.

L'affaiblissement de l'activité musculaire est souvent lié à une insuffisance de potassium due à une assimilation défectueuse de cet élément. Des manifestations arthritiques peuvent alors survenir. L'équilibre du potassium exerce une influence favorable sur tout le système nerveux mais agit d'une façon plus particulière sur les nerfs du coeur, des muscles striés et des glandes.

Il ne faut pas oublier que l'organisme renouvelle toute sa quantité de potassium en quatre jours, l'organisme ne l'accumulant pas, une carence en potassium au niveau des muscles entraîne une perte de force musculaire. L'équilibre sodium et du potassium est important, car l'élément de base du milieu intérieur dans lequel baignent les cellules est le chlorure de sodium alors que le potassium est la base du liquide intracellulaire. La rupture de l'équilibre sodium-potassium rompt du même coup l'équilibre entre l'acidité et l'alcalinité.

Sources: le blé, le boeuf, l'agneau, le poulet, le foie, la dinde, les noix (spécialement les amandes non salées), les arachides, les noix de Grenoble, les graines, les fèves de Lima, les pois, la laitue, les épinards, les oranges, les bananes et plusieurs fruits, le vinaigre de cidre, le miel, etc.

LE CALCIUM:

Le calcium est le minéral le plus en abondance dans l'organisme. La grande partie du calcium est assimilée par les os, pour assurer la croissance du squelette et l'entretien du tissus osseux. Les os sont le siège d'échanges constants avec le sang et le milieu intérieur. Ce sont les os qui cèdent au sang le calcium nécessaire au maintien de la calcémie.

Il a pour fonction d'assurer la respiration cellulaire, d'exercer une action sédative sur le système nerveux central et d'intervenir dans l'excitabilité de la fibre nerveuse.

Une insuffisance de calcium provoque donc une hyperexcitabilité neuromusculaire. La régulation du métabolisme calcique est complexe. L'équilibre sanguin (homéostasie) est assuré par l'hormone parathyroïdienne qui détermine la dissolution du calcium osseux... d'où l'augmentation de la calcémie... et provoque simultanément une dépression de la réabsorption tubulaire rénale des phosphates et une augmentation de la réabsorption du calcium.

Une chose qu'il est très important de retenir. Un régime riche en viande pourra augmenter de façon anormale l'apport en phosphore et accentuera la carence en calcium. Un régime hyperlipidique c'est-à-dire déséquilibré par les corps gras est carencé en calcium. Le régime carné, en occasionnant des carences en calcium détruit les rapports de Loeb, ce qui amène des perturbations et des problèmes au niveau osseux en plus de provoquer une acidose dans l'organisme.

Sources: voir p. 42.

LA SILICE:

La silice dans les sols:

Suite à ses recherches, M. Kervran, géologue a émis l'opinion suivante:

"Ce lien de la silice et du calcaire a aussi fourni aux géologues, l'explication qui leur manquait, car il n'y avait aucune réponse à la question, 'pourquoi l'ère primaire est-elle celle de la silice alors que l'ère secondaire est celle du calcaire'?"

"Nous avons cité les pierres siliceuses qui deviennent calcaires sous l'effet de micro-organismes, ce n'est là qu'un exemple et nous avons dans nos ouvrages, montré qu'en fait cette propriété était connue et utilisée depuis longtemps, puisque même depuis l'Antiquité on utilisait la prèle, riche en silice, pour se recalcifier, la silice donnait de la chaux. On en donnait autrefois aux tuberculeux pour hâter la calcification des cavernes des poumons.''

"Nous avons montré, par des radios-photos, que les fractures se réparent beaucoup plus vite par des extraits de silice organique de prèle que par l'administration de calcaire.''

La silice dans les plantes

Les seize principaux éléments présents dans notre corps sont:

L'hydrogène, le carbone, l'azote, l'oxygène qui représente la plus grande quantité, le potassium, le sodium, le calcium, le magnésium, le fer, le phosphore, le soufre, le chlore, le manganèse, le fluor, l'iode et la silice.

La silice a été longtemps laissé de côté d'une part à cause de son usage difficile et d'autre part, parce qu'on ne connaissait pas son rôle nutritif.

La silice végétale vient entre autres de la prèle. Les plus communes sont: Equisitum palustre, E. limosum et E. arvense.

Composition chimique: On trouve dans la composition chimique des prèles, quinze oligo-éléments dont trois jouent un rôle important; ce sont: le potassium, le manganèse et surtout la silice.

La silice se trouve présente dans la prèle sous deux formes:

— La silice d'interposition, ou silice insoluble, qui n'a qu'un rôle de soutien de la plante et de défense physique, sans rôle physiologique, ni activité thérapeutique.

— La silice de constitution active dans le métabolisme général de nature organique et soluble, liée dans la cellule aux glucides, aux lipides ou aux protides; elle est douée de propriétés thérapeutiques parce que assimilable chez l'être humain.

La concentration en silice de la prèle, varie avec la saison, les conditions climatiques, la nature du terrain et l'espèce.

Les deux espèces les plus riches en silice soluble sont:

La grande prèle (E. Telmateia)
La prèle-des-champs (E. Arvense)

La meilleure époque de récolte est le début de l'été.

Ces données proviennent de:

Clarence Sterling qui en 1967 se penche sur la nature de la silice, suivi de Laroche, en 1968.

Au Canada, Ching-Hong Chen et J. Lewin ont prouvé que la silice du sol est un élément nutritif indispensable au bon développement de toutes les espèces d'Equisitum arvense.

Les plantes sans silice sont donc des plantes qui présentent une déficience.

Au contraire, les plantes auxquelles on ajoute de 40 à 80 mg de silice par litre, tous les 15 jours, montrent une croissance supérieure. Plus important que la teneur totale en silice est la teneur en silice soluble et assimilable par l'organisme, appelée silice organique.

Comme nous l'avons vu, c'est au printemps que la teneur en silice organique est maximale.

Le rôle de la silice chez la plante:

Selon Viehoever et Prusky,

''Comme agent de soutien et comme agent de résistance aux forts courants d'eau et aux parasites. (champignons et bactéries). La silice rend la membrane presque inattaquable pour les micro-organismes. Comme agent protecteur conférant à la plante une certaine rigidité. Comme agent réflecteur de la lumière, servant de protection contre la chaleur et les substances radioactives. Pour la conservation de l'eau. Les silicates permettent une économie pour la plante dans la consommation du phosphore et des phosphates. Comme facteur essentiel de la constitution du sol, la silice lui donne une structure spongieuse adéquate à la naissance de la plante.''

En fait, la transformation de la silice en calcium confirme la relation entre la silice et la vie. Autrement dit, la silice est la vie; car dans la vie, tout est mouvement.

Nous savons que les cellules de notre corps sont en mouvement et c'est ce mouvement incessant qui peut redonner vie et santé à l'organisme si nous changeons nos habitudes de vie. La silice se présente dans la nature soit à l'état cristallin ou à l'état amorphe et forme des espèces minérales importantes dont les principales variétés sont: le Quartz ou cristal de roche qui est incolore et transparent.

On trouve Le tridymite surtout dans les régions volcaniques.

La silice dans le corps humain

Les carences en silice dans notre alimentation dépendent des points suivants:

1) L'industrie des aliments fait qu'aujourd'hui beaucoup de gens manquent de cet élément qui se trouve dans la partie périphérique des fruits, des légumes, des grains, etc. Par la décortication, l'industrie alimentaire élimine une partie importante des substances nutritives.

C'est le cas des aliments raffinés comme le pain blanc, des légumineuses, etc...

2) Les réserves de silice dans l'organisme sont faibles, ce qui explique que l'être humain s'en trouve très facilement carencé.

3) Les excitants alimentaires (sucre, café, thé, chocolat, boissons alcoolisées etc.) déclenchent le stress au niveau des glandes endocrines (le pancréas, la thyroïde, les surrénales, le foie, etc...) et, par le fait même, amène une élimination de vitamines, de minéraux et d'oligoéléments. Par exemple, le sucre blanc, pour être assimilé, a besoin du magnésium qu'il puise dans différents tissus de l'organisme, causant ainsi une carence en magnésium.

Cette perte de magnésium, entre autres, au niveau des os, produit un stress qui expulse alors la silice à l'extérieur du corps. Donc, dans tous les processus de déminéralisation, les pertes de silice sont proportionnellement plus importantes et précoces que celles qui touche les autres éléments. Dans l'organisme, la silice se caractérise par sa mobilité dans les échanges par sa sensibilité et son rôle dans la défense générale de l'organisme dans les tissus conjonctifs où il forme des ponts oxygène-silice-oxygène. C'est la première barrière aux processus dégénératifs. La silice se trouve dans l'organisme sous la forme d'un oxyde. Son rôle est de servir d'agent protecteur, antiseptique et isolant.

De plus, elle aide à équilibrer la température du corps. La silice fait aussi partie du tissu conjonctif: peau, cheveux, ongles. Elle est un agent stimulant pour le cervelet: elle en augmente l'énergie motrice. Le développement osseux est soumis à son influence. Enfin le silicium agit sur le système lymphatique.

La silice fait mûrir les abcès et favorise la suppuration. C'est un élément très important du corps humain puisque sa teneur totale dépasse 7 grammes, soit plus élevée que le fer dont la teneur est de 4 à 5 grammes. La teneur en silice dans le sang est de 10 milligrammes par litre, c'est-à-dire $1/10$ du taux de calcium. En plus du tissu conjonctif, la silice se trouve en abondance dans les dents, les os, les tissus pulmonaires et aussi dans la rate, le thymus, les surrénales et, selon M. Polet, elle serait stockée dans le pancréas. L'homme subit à l'état normal une déperdition incessante de silice. Il a été démontré que la minéralisation silicieuse de la peau chez l'adulte qui atteint 0.051/1000 à son maximum, tombe à 0.038/1000 chez le vieillard, où elle se trouve nettement en déficience.

La silice se trouve dans le sang sous trois formes, dans les proportions suivantes:

— silice soluble dans l'eau 10%
— silice combinée ou fixée sur les protéines..................... 60%
— silice combinée ou fixée sur les lipides 30%

Au cours d'états pathologiques, on observe de nombreuses perturbations dans ces proportions.

Normalement, l'organisme a besoin d'un apport minimal d'environ 30 mg par jour. D'ailleurs, dans la migration des échanges minéraux, la silice représente l'élément modèle le premier touché. Robin et Marq, outre la déminéralisation ont observé que la silice représentait un élément majeur dans la défense du terrain.

La silice favorise également l'assimilation du phosphore: les tissus phosphorés ainsi que la moelle du cerveau et le cerveau, la fixent facilement.

Les aliments riches en silice sont:

Les algues marines comestibles, l'avoine, le cerfeuil, le chou rouge, le poireau, la fraise, l'orge, les graines d'anis, le chou-fleur, l'oignon, la laitue, le raifort, l'asperge, la carotte, l'épinard, le jaune d'oeuf, l'olive mûre, la pêche, la farine de riz naturel, le concombre, les petits pois verts, le radis, l'échalotte, les légumes verts frais.

Les plantes riches en silice:

La prêle, l'ortie, la renouée des oiseaux, le thym, la galeopsis ochroleuca etc…

D'ailleurs, il est intéressant de noter qu'on a démontré que c'est par l'ingestion d'herbe fraîche que les vaches laitières peuvent excréter plus de calcium que ce qu'elles ingèrent, sans se décalcifier. Comment ne pas penser que toute cette silice végétale se transformerait dans l'organisme de la vache en calcium!...

Quelques symptômes de carence en silicium.
— Blessures lentes à cicatriser.
— Céphalées chroniques.
— Colonne sensible.
— Engourdissements.
— Gaz intestinaux.
— Insomnie fréquente.
— Muscles lâches.
— Ongles difformes.
— Démangeaisons aux oreilles.
— Pieds froids.
— Transpiration excessive.
— Démangeaisons aux pieds.
— Eczéma au nez.
— Gain de poids.
— Jambes faibles.
— Fatigue à la lecture.
— Narines asséchées.
— Ongles incarnés.
— Orteils sensibles.
— Grande soif, le soir.
— Tendons faibles.
— Transpiration (les pieds).
— Cartilages sensibles.
— Coccyx sensible.
— Dents sensibles.
— Manque d'endurance.
— Éruptions cutanées.
— Hémorroïdes douloureuses.
— Jointures faibles.
— Lèvres gercées.
— Mémoire trompeuse.
— Maladies de peau.
— Sénilité précoce.
— Somnolence l'après-midi.
— Torticolis fréquents.
— Vue affaiblie.
— Peur des "objets pointus".

L'UTILISATION DE LA SILICE COMME SUPPLÉMENT ALIMENTAIRE.

L'arthrite et le rhumatisme.

Les arthritiques et les rhumatisants nécessitent un apport urgent de silice. Le chirurgien français, René Leriche, dans son livre ''Physiologie et pathologie du tissu osseux'', écrit en 1939, souligne que l'équilibre acido-basique du sang est nécessaire au maintien de l'os.

Il y mentionne également que tous les troubles osseux proviennent de l'acidose.

Il dira ''en songeant à tout cela, n'êtes-vous pas convaincus que la pathologie doit cesser d'être une pathologie d'organes? Tout en nous est liaison. Chaque lésion a des répercussions imprévues à distance. C'est aux mécanismes tissulaires qu'il faut toujours en venir pour comprendre''.

Le tissu osseux est très complexe; c'est une matière vivante servant de réserve au calcium qui est important pour le corps.

Les cellules de l'os sont toujours en mouvement, et dans ce tissu osseux, il y a de très petits vaisseaux ou fins capillaires; c'est à travers leurs parois qu'arrive la nourriture qui forme les os.

Il y a également des nerfs et de la lymphe dans le tissu osseux. La silice agit également sur la lymphe.

Le Docteur Armand Vincent, dans un travail de recherches intitulé ''Les méfaits de l'arthritisme'' publié en 1949 et que j'ai trouvé à la librairie de l'Académie médicale de New York, écrit ceci;

''Nous sommes obligés de fournir à notre organisme une grande quantité de combustible afin qu'il puisse satisfaire à nos besoins en calories. C'est de cet excès inévitable d'apports alimentaires, nécessaires certes, mais dépassant parfois les possibilités de rendement des organes que résulte le déséquilibre entre les fonctions d'assimilation et celles de désassimilation qui provoque l'encrassement, autrement dit l'arthritisme.''

''Les impuretés et les toxines résultant des rétentions de l'appareil digestif pénètrent dans l'organisme et s'y répandent par la circulation. Les surcharges qu'elles apportent dans le sang se traduisent par une augmentation de densité avec hyperviscosité et un surcroît de substances toxiques (urée, acide urique, sucre, acétone, etc.) fin de la citation.

Répétons-le encore, l'acidose produit une intoxication qui amène une dégradation des tissus, une fatigue musculaire et d'autres manifestations au niveau des os, des cartilages et des muscles.

L'acidose devient un **grand problème** qui cause des troubles osseux, cartilagineux et musculaires.

Hans Selye, dans son livre ''le stress de la vie'' dit ceci: ''Au cours de mes recherches pour découvrir un tel moyen, je remarquai que si l'on injecte une goutte d'une solution irritante quelconque (formol) sous la peau plantaire d'une partie postérieure d'un rat, il se produit une arthrite locale expérimentale (en langage technique: irritation arthritique topique.) Cette arthrite due à un stress local devient promptement invalidante car les articulations durcissent du fait du tissu dense qui les envahit et cessent de permettre le jeu des mouvements.''

Effectivement, l'arthrite et le rhumatisme proviennent d'une mauvaise alimentation et du stress.

La silice est donc primordiale dans ces deux maladies, car elle va nourrir le tissu conjonctif qu'est le tissu osseux.

Kevran, dira ''Des études des docteurs en pharmacie, Charnot, Monceaux, etc. ont montré qu'en administrant de la silice organique, on peut guérir des rhumatismes articulaires.'' En effet la consolidation des fractures se fait plus vite et on chasse les formes calcaires parasites (calculs, calcification des artères préparant l'arthérosclérose, etc.). Et maintenant, il existe des extraits de prèle végétale en capsule, dans le commerce pour combattre les différentes formes de décalcification.

En rhumatologie, on accorde une grande importance à l'équilibre silice-calcium dans les élastopathies péri-articulaires, les fibrosites, et les tendinites. Dès que la teneur en silice diminue, celle du calcaire augmente, l'élasticité du tissu est abaissée et les processus histologiques modifiés.

La silice aide à l'assimilation du phosphore qui joue un rôle dans la formation de l'os, car la production de calcium par les cellules formatrices de l'os est liée au phosphore puisque l'os apparaît sous forme de phosphate de calcium.

Le phosphore est un constituant essentiel de la molécule vivante; c'est un des éléments des chaînes d'ADN et d'ARN. C'est aussi un des constituants de la cellule nerveuse, de la matière grise du cerveau; le squelette est aussi un phosphate de calcium.

Les recherches montrent que dans tous les processus de déminéralisation, les pertes en silice sont proportionnellement plus importantes et précoces que celles qui touchent les autres éléments. Le rôle de la silice dans l'élimination des déchets organiques comme l'urée, l'acide urique et la nicotine est d'une extrême importance.''

L'arthrite vient, comme nous l'avons vu, d'une congestion du système digestif qui garde les substances toxiques, acides. Ces acides qui se retrouvent dans le sang sont alors déposés dans les articulations, les os, les muscles et les cartilages, ce qui a pour effet de causer de l'inflammation et de l'enflure. Ces dépôts se font, au début, dans les endroits qui sont faibles et atteignent ensuite tout l'organisme. Si des dépôts se forment, c'est que les organes d'élimination ne font pas bien leur travail.

D'où vient cette congestion? Elle est causée par

— une alimentation trop riche en viande rouge,
— trop riche en sucre,
— trop riche en aliments acides tels que le café, le thé, le chocolat, les boissons alcoolisées,
— des capillaires congestionnés qui accomplissent mal leur travail.
— de diverses carences et enfin,
— du stress prolongé.

Les minéraux, les oligo-éléments comme vous avez pu le constater sont très utiles pour aider à prévenir et à soigner les problèmes de santé de nature arthritique. J'aimerais également mentionner que le nickel est un important catalyseur biologique présent dans une *saine alimentation*, aussi que le cobalt (essentiel à l'élaboration de la vitamine B_{12}). Ils seront souvent d'un grand secours sous forme diluée et dynamisée. De même le fluorure *de calcium* (qui n'a pas l'effet destructeur et toxique du fluorure de sodium présent dans l'eau de nombreuses villes et qui souvent rend les os plus friables) améliore l'état de santé de l'arthritique.

Fluor (fluorure de calcium): Il contribue à la formation de la partie émaillée des os et des dents, aide à la fixation du phosphore et augmente la résistance tissulaire.

Sources: carotte, radis, betterave, courgette, pomme de terre, miel, viande, jaune d'oeuf, poisson, germe de blé, graines de moutarde, ail, avocat, épinard, seigle foncé etc.

Il est également disponible sous forme diluée, ionisée et dynamisée.

L'or et l'argent: combinés avec le cuivre, ces deux minéraux favorisent l'élaboration des anticorps, la résistance aux infections et aux toxines. Ils relancent l'activité biologique de la vitamine C et des glandes surrénales. Ils peuvent être également combinés avec magnésium, zinc et manganèse.

Le sodium: minéral alcalin par excellence il aide à neutraliser l'acidité.

Sodium: Il contribue au bon fonctionnement des liquides organiques et des cartilages. Il retient l'eau dans le sang et en maintient la fluidité (son insuffisance rend le sang visqueux). Il règle l'hydratation des tissus.

Sources: haricot vert, datte, maïs, avoine, abricot, orge, riz, les oeufs, les produits laitiers, le sel de mer, etc.

En terminant n'oublions pas que des minéraux comme le phosphore et le soufre s'ils sont retrouvés en trop grande quantité dans l'alimentation peuvent acidifier l'organisme. Le phosphore dans le régime alimentaire de nombreuses personnes se retrouve en excès, jusqu'à 4 à 5 fois la quantité normale. Il suractive alors les glandes parathyroïdes qui dosent la quantité de calcium dans le sang. Suractivées, ces glandes deviennent déséquilibrées et le calcium dans le sang risque alors de chuter sinon, d'être retiré de façon inquiétante du grenier de calcium que constituent les os. Les aliments raffinés (surtout les farineux: biscuits, pain, gâteaux) et la viande contiennent beaucoup de phosphore. Les personnes ayant ce type d'alimentation et consommant peu de fruits, de légumes et de calcium alimentaire risquent de développer un tel problème. D'autre part les personnes consommant de façon exagérée de la levure de bière, du germe de blé et des céréales à grains entiers risquent d'avoir un taux de phosphore trop élevé dans leur alimentation. Alors attention, car certaines personnes de *type phosphorique* réagissent très mal à l'effet destructeur d'une surdose de phosphore!

13

L'ostéoporose

L'ostéoporose est une diminution de la densité du squelette, une perte de la masse osseuse associée à une plus grande fragilité des os.

En effet, les os deviennent poreux et cassants. On attribue cette maladie du vieillissement due à une incapacité de l'organisme de former le tissu osseux nécessaire au remplacement de celui qui disparaît. La masse osseuse atteint sa croissance maximale autour de 35 ans. Il peut se produire un plateau variable selon les individus, ou une courbe descendante qui peut amener la destruction de la masse osseuse. Celle-ci est au départ plus élevée chez la femme que chez l'homme. En effet chez la femme, l'ostéoporose vertébrale est quatre fois plus fréquente et les fractures de la hanche deux fois et demie.

Dans les cas d'ostéoporose, la médecine prescrit une hormone: de l'oestrogène. En médecine douce, des plantes "oestrogène — like" et des remèdes homéopathiques seront utilisés. Le stress prolongé joue aussi un grand rôle dans l'apparition de l'ostéoporose et peut déclencher un déséquilibre hormonal nuisant ainsi à l'assimilation du calcium.

Le régime alimentaire trop acide, trop riche en phosphore, pauvre en calcium, en vitamine A, en magnésium, en silice favorise le développement de l'ostéoporose. Le manque d'exercice et de soleil y contribue également.

14

La substance osseuse

Normalement, dans la vie physiologique, et plus spécialement à l'époque de la croissance, les éléments minéraux viennent du dehors. Ils sont apportés par l'alimentation et absorbés dans l'intestin d'où ils passent dans le sang. Ils circulent avec lui, passent ainsi dans les zones d'ossification pour former la substance osseuse. Cet apport minéral au tissu conjonctif des futures zones osseuses dure toute la vie.

L'ossification en nous, n'est jamais terminée une fois pour toutes. En effet, l'os une fois constitué se défait et de l'os nouveau apparaît pour le remplacer. L'os est essentiellement instable. Il nous donne, par ses apparences, une impression de durée mais, il est en continuelle transformation. L'os n'est que l'intermédiaire de l'assimilation et l'utilisation du calcium dans l'organisme.

Mais l'apport minéral, s'il dure toute la vie, ne marche pas toujours du même pas. Jusqu'à l'adolescence, jusqu'à l'heure où la croissance se ralentit, il se fait avec intensité. Cependant ces besoins en minéraux sont accrus de nouveau lors d'une grossesse ou d'une période d'allaitement, après une maladie, durant la ménaupose, mais également lorsque l'apport de phosphore dans le régime alimentaire quotidien dépasse la dose normale.

Quand la croissance ralentit, l'ossification diminue aussi, et bientôt l'apport minéral ne se produit plus qu'en proportion de la destruction osseuse physiologique de l'adulte.

Les facteurs déterminant l'ossification:

En dehors de la phosphatase qui est un facteur d'accélération de l'ossification, les protéines contribuent également à fixer le calcaire, il existe d'autres facteurs importants dans l'ossification, il faut pour cela, que la réaction du milieu tissulaire soit dans le sens de l'alcalinité, (le contraire de l'acidité). Normalement, les tissus ont vis-à-vis du sang, une réaction plus acide due à la présence d'acide carbonique et de divers acides provenant du métabolisme tissulaire. Ces acides sont neutralisés par les substances alcalines du sang, ce qui tend à maintenir constante la réaction tissulaire. Dans les états d'acidose, quand le sang est déjà surchargé d'acides (acide urique, oxalique, produits azotés, etc.), l'acidité tissulaire augmente d'où l'inaptitude des protéines à fixer le calcium.

Plus loin, nous parlerons de ces substances qui causent l'acidification des humeurs et du sang, car le sang charrie ces déchets acides dans les os.

Plus le sang est acidifié, plus il puise du calcium déminéralisant progressivement les os. Plus le sang est alcalin, plus il se dépose de calcium dans les os.

Cet excès d'acide provoque un affaiblissement de l'organisme à tous les niveaux, notamment du système immunitoire et des organes favorisant ainsi le développement des infections.

Donc un sang trop chargé en déchets est un signe d'intoxication, il amène une dégradation des tissus, une fatigue musculaire, du surmenage nerveux et différentes sortes d'arthrites, des rhumatismes de même, la goutte, l'arthrose, etc.

Plusieurs éléments extérieurs favorisent et déterminent la fixation calcique sur l'élément protéique contenu à l'intérieur de l'os.

Il faut d'abord un régime alimentaire approprié, surtout dans la période de croissance. Il faut que l'alimentation ravitaille l'organisme en calcium, en phosphore, en silice et en magnésium et que l'apport de vitamines A, C et D soit adéquat, même le régime est bien équilibré en hydrates de carbone, en azotes, et en graisses, si l'organisme ne peut pas minéraliser son squelette, en d'autres mots, il ne fabrique pas de substances osseuses. Le manque de phosphore compromet la nutrition osseuse, car le phosphore agit par sa qualité, par sa présence et en quelque sorte comme *catalyseur. Si l'apport de calcium et de phosphore n'est pas suffisant, si les deux éléments ne sont pas dans un rapport normal, l'ossification n'a pas lieu, la substance osseuse ne se forme pas ou se forme mal et bien avant que le rachitisme ne soit diagnostiqué, il y a déjà précarence. Nous savons que la silice retient le phosphore, mais il est important de mentionner que la carence en phosphore n'est pas à craindre, car elle se produit rarement.

La substance osseuse se fait par la rencontre et la fusion d'un élément phospho-calcique* le phosphore tricalcique et d'un élément protéique, et cela, dans un rapport défini.

De plus si les conditions protéiques ne sont pas suffisantes, même en présence d'un apport phospho-calcique convenable, la formation de la substance osseuse n'a pas lieu par déficit conjonctif. Pour que la substance osseuse se forme, il doit obligatoirement y avoir un ravitaillement phospho-calcique régulier des proportions définies, sous forme organique, que seul l'être vivant peut élaborer à l'aide de matériaux que lui fournissent les aliments et les suppléments alimentaires.

N'oublions pas que la silice soluble (végétale) est fixée aux protéines dans une proportion de 60%.

Les animaux qui broient des os et les pulvérisent nous donnent l'indication de l'attitude à adopter pour pallier les carences calciques en ne mangeant pas d'os bien sûr, mais en équilibrant notre alimentation correctement afin d'y trouver le dosage adéquat de calcium et d'autres minéraux. L'instinct des animaux leur sert d'habitude plus heureusement que notre rationalisme à courte vue.

La première condition pour que se forme la substance osseuse est donc un ravitaillement phospho-calcique régulier dans une proportion calcium-phosphore normale, mais ce n'est pas la seule condition.

La vitamine D est un autre facteur important qui favorise la formation de la substance osseuse. Elle influence le métabolisme du phosphore et du calcium et fovorise la calcification.

La vitamine C aussi joue un rôle très essentiel. Les travaux importants de Mouriquand et de ses collaborateurs, au sujet des désordres osseux produits par l'avitaminose C, nous apprennent qu'une carence en vitamine C donne une ossification exubérante et une raréfaction du tissu osseux.

La plus grande partie des sels minéraux que nous absorbons se fixe dans le squelette. Ces minéraux proviennent de l'alimentation qui doit en fournir chaque jour un apport considérable.

Ces matières minérales font partie des constituants cellulaires. Elles interviennent dans les opérations chimiques intracellulaires, dans la vie de la cellule et dans ses échanges.

Les carences en minéraux et en vitamines sont la cause des troubles osseux.

La vie de l'os est continuellement en mouvement: destruction et reconstruction se succèdent car la vie osseuse est une vie organisée.

La pauvreté de la circulation osseuse est un des principaux problèmes des os. Les déchets que notre sang charrie peuvent facilement faire des dépôts dans la circulation osseuse et, par le fait même, causer des troubles osseux. Les aliments trop acides causent également une forte concentration d'acidité dans les os, les cartilages et les muscles. Ces substances acides peuvent créer des acidoses locales et ensuite, se propager aux autres endroits faibles de l'organisme, car les acidoses locales se forment toujours aux endroits les plus faibles de l'organisme. En fait, tous les troubles osseux, viennent d'une consommation désordonnée des réserves calciques, associée directement à l'apport alimentaire ainsi qu'au stress glandulaire.

Les carences alimentaires en calcium assimilable retentissent sur les parathyroïdes en déclenchant la même hyperactivité fonctionnelle que le stress tel que défini par Hans Selye. (Voir chapitre "L'hypoglycémie, le stress, l'acidose). En plus des troubles osseux et cartilagineux, nous pouvons remarquer au niveau de la peau un oedème dur qui garde l'empreinte des doigts; les ongles pour leur part deviennent striés.

Donc, le stress et les aliments acidifiants: sucre raffiné, thé, café, liqueurs douces, boissons alcoolisées etc. causent l'acidose, la cause des troubles des os, des cartilages et des muscles, entraînant, par conséquent, la raréfaction osseuse.

Voilà pourquoi nous devons nettoyer et renforcer le terrain qu'est notre corps, et non pas nous attaquer aux symptômes, qui ne sont d'ailleurs que le reflet des désordres intérieurs de l'organisme.

LE TISSU OSSEUX:

Donc, nous avons vu que le tissu osseux est un tissu conjonctif, dans lequel se trouve une substance appelée substance osseuse. Il comprend aussi des nerfs, des éléments *hématopoïétiques et des cellules adipeuses. C'est à l'ensemble des tissus mous et durs, que l'on donne le nom de tissus osseux.

Il y a de la substance osseuse qui est une matière dure, protéique, d'origine minérale par laquelle le tissu conjonctif devient un tissu osseux.

Le tissu osseux est un agencement de tissu conjonctif et de substance osseuse qu'on retrouve dans le périoste, la moelle, le cartilage qui se développent selon ses propres lois. L'ostéogénèse est donc le processus de formation et de développement du tissu osseux qui est constitué par l'union des sels calcaires, de la silice, du magnésium, des vitamines A et D etc. à une matière protéique.

Pendant notre vie entière, l'os se défait et se refait, il n'est pas fait une fois pour toutes. Par contre, l'ossification se fait moins bien dans les états d'acidose, quand le sang, donc le système est surchargé d'acide. La neutralisation qui existe normalement au niveau de l'os, n'est plus possible, d'où inaptitude des protéines à fixer le calcium engendrant la raréfaction du tissu osseux. La neutralisation est donc une nécessité pour le tissu osseux en voie de formation.

Maintenant écoutons ce que disent d'autres chercheurs:

Au sujet de la raréfaction le docteur R. Leriche chirurgien, dira:

"Dans presque toutes les maladies des os, il y a, au début, une raréfaction plus ou moins étendue de la substance osseuse. Il y en a dans la répartition des fractures, dans l'évolution des arthrites, dans les ostéomyélites, dans la tuberculose osseuse et il y en a dans le rachitisme."

Donc, il est nécessaire de maintenir l'équilibre acido-basique du sang car il est précieux pour le maintien de l'os parce que l'acidose conduit à la résorption osseuse.

Les docteurs Picard et Ménétrier mentionneront:

"Cette neutralisation est d'autant importante et nécessaire à un endroit du squelette, par exemple, la hanche, la colonne lombaire, dorsale, cervicale lequel endroit a un trouble osseux, comme le rachitisme qui malmène l'ossification, qui cause un déséquilibre cellulaire important au niveau de la colonne, ou bien une malformation congénitale, ce peut-être une jambe plus petite; cela entraîne une friction qui plus tard causera une coxarthrose."

LA RARÉFACTION OSSEUSE:

Le manque de neutralisation cause une raréfaction du tissu osseux qui est beaucoup plus visible à un endroit où il y a malformation ou encore où il y a eu accident. Il est certain que la réaction alcaline favorise la calcification. D'ailleurs, plus la réaction du sang est alcaline, plus il se dépose de calcium dans le tissu osseux. Par conséquent plus la réaction est acide, plus il y a perte de calcium. D'après les travaux de Gédéon Wells, il se fixe dix fois plus de calcium sur le cartilage que les autres tissus.

Il est très important surtout pendant la période de croissance, d'avoir un régime riche en calcium et en phosphore parce que, sans ces deux minéraux, l'homme ne peut minéraliser son squelette de façon suffisante, ce qui a été démontré par Mac Galliu, Shipley, Sherman et Pappen Heimer.

La substance osseuse se constitue par la fusion du phosphore et du calcium et d'un élément protéique, c'est pourquoi il est essentiel que les deux éléments soient présents en quantité suffisante dans l'organisme.

La présence de la vitamine D est aussi essentielle à la formation de la substance osseuse. On se rappelle que l'organisme synthétise la vitamine D à partir des rayons de soleil. Une carence en vitamine D et la carence solaire, tant directement dans le corps humain que dans les légumes et les fruits, empêche la fixation du calcium, causant une perte de densité de tout le squelette. Selon Szent Gijorgi, la vitamine C est également essentielle à la formation de la substance osseuse.

La substance osseuse doit sa solidité aux fibrilles collagènes de sa trame, qui sont des éléments de force, de solidité qui lui assurent force et stabilité.

Dans de nombreux cas de raréfaction, on doit chercher la cause du côté endocrinien car la substance osseuse est le réservoir minéral que gouverne la parathormone, c'est-à-dire l'hormone sécrétée par les parathyroïdes.

Avant de continuer l'étude de l'arthrose, nous parlerons de la vie du cartilage. Le cartilage est comme le tissu osseux, un tissu conjonctif en état métamorphique, c'est-à-dire qui se transforme constamment.

Le système endocrinien a des influences indéniables sur le cartilage.

Poucet fut le premier à admettre que les testicules jouent un rôle sur le tissu cartilagineux. Suite à ses expériences, Leriche, en est venu à la conclusion que la glande thyroïde avait également une influence sur la vie du cartilage. Il en est de même pour l'hypophyse. Contrairement à l'os, le cartilage a une vie très ralentie. C'est l'action de l'hormone parathyroïdienne qui au cours de la vie physiologique de l'os, détruit le cartilage et le reconstruit constamment! C'est pourquoi on dit du cartilage qu'il est un tissu à vie ralentie.

Il ne faut surtout pas oublier que c'est la réserve minérale qui contrôle la vie du tissu osseux: les sels minéraux sont fournis à l'organisme à tout instant.

L'hormone parathyroïdienne joue un rôle dans l'ossification. Si la réparation de l'os n'a pas lieu immédiatement, il se produira une raréfaction du tissu osseux.

On a d'ailleurs observé que souvent il y a hypérémie de l'os dans les cas de résorption osseuse.

C'est Leriche qui dit: "Que toutes les causes physiologiques ou pathologiques de vaso-dilatation font raréfier l'os."

L'acidose conduit à la résorption osseuse, d'où l'importance de maintenir un équilibre acido-basique constant. La plupart des ostéogénèses sont le résultat de mutations calciques locales, c'est-à-dire qu'il y a déplacement des réserves calciques.

Leriche dira aussi au sujet de l'os:

"La vie osseuse est une vie organisée en fonction d'un dépôt. Tout y est libération ou réparation. En fait, elle est passive. La reconstruction osseuse, elle-même, n'est pas un phénomène rigoureusement actif, elle aussi est passive dans un certain sens."

Si nous disons que les oligo-éléments sont si importants dans les arthroses, c'est parce qu'ils agissent comme bio-catalyseurs.

La vie du tissu osseux est un perpétuel mouvement. L'acidose conduit à l'ostéomalacie qui est synonyme de résorption, de décalcification. C'est l'hormone parathyroïdienne qui assure l'ostéolyse qui a pour fonction de maintenir constant le taux de calcium dans le sang permettant à ce dernier de répondre aux besoins cellulaires et tissulaires des os. Les parathyroïdes règlent la consommation du calcium des os. En contrepartie, les insuffisances calciques du squelette dues à un déficit dans l'alimentation retentissent sur les parathyroïdes, entraînant une hyperactivité fonctionnelle.

Leriche dit:

"Il est certain que dans le cours de notre vie, un grand nombre de raréfactions hypérémiques passent inaperçues, parce qu'elles se font lentement, parce que la symptopathologie en est frustrée et passagère: douleurs de quelques jours, d'un genou, d'un coude, du dos, lombalgie, tour de rein, de douleurs rhumatismales. En effet, il n'y a rien au point de vue radiographie qui traduisent une raréfaction, il n'y a presque pas, ou pas de changement. Les poussées hypérémiques surtout se voient dans deux conditions: le traumatisme et l'infection."

Il dira aussi au sujet des raréfactions:

"En fait, beaucoup de raréfactions osseuses passent radiographiquement inaperçues. Mais tardivement, elles montrent leur signature sous la forme d'une ossification ligamentaire, d'une irrégularité osseuse sur un profil épiphysaire, d'une pointe en crochet sur une vertèbre. Nous voyons de l'os nouveau, et nous disons exostose, périostose, en oubliant que, hors croissance, nous ne faisons guère de l'os nouveau qu'aux dépens de l'os ancien du moins dans les processus locaux. L'ostéogénèse procède habituellement de la raréfaction osseuse et je dis que en règle: ossification veut dire raréfaction."

La raréfaction osseuse peut provenir d'un traumatisme de la vasomotricité. Il s'agit d'une modification dans la circulation d'un membre qui peut engendrer des conséquences tissulaires profondes. Le retentissement tissulaire de ces troubles est variés et variables qui affectent le tissu conjonctif, soit les muscles, soit les os. Ce qui amène une combinaison qui existe entre ces conséquences.

Le professeur Leriche remarque plusieurs symptômes reliés à l'arthrite traumatique et il les cite: ''Au niveau de la peau, en plus de la cyanose, il y a de l'oedème, un oedème dur, gardant l'empreinte des doigts, particulièrement marqué sur le dos de la main et le dos du pied, cannelure des ongles, longitudinales ou transversales sur le bord libre.''

''Au niveau des muscles, il y a atrophie, hypotonie et parfois hypertonie, dans les combinaisons variées, réalisant des aspects très variés.''

Leriche ajoute:

''Il est très rare que les os d'un rhumatisant ne soient pas raréfiés et graisseux en quelque point.''

''Dans toute ossification, il existe un processus de vaso-dilatation active car la pathologie osseuse est essentiellement vasculaire régie par les mouvements des vasomotricités locales, et c'est pour cela qu'il faut toujours remonter à la cause dans toute maladie des os qui est l'acidose, qui est le complice numéro un des rhumatisants, des arthritiques, des arthrosiques et des goutteux. C'est alors que nous remarquons la relation de l'acidose avec la raréfaction et la vaso-dilatation. L'acidose, causée par des problèmes du foie, des reins et des intestins, trouble les milieux humoraux et causerait une consommation déséquilibrée des réserves calciques, d'où prolifération du tissu osseux, provoquant des becs de perroquets, etc.''

15

Les glandes endocrines

Le système endocrinien est un système de glandes différenciées qui assurent les différentes fonctions du corps.

Les différentes glandes endocrines déversent leurs sécrétions "les hormones" dans la circulation générale qui les conduit à leurs récepteurs spécialisés, c'est-à-dire les cellules constituant un tissu ou un organe qui peut être d'ailleurs une autre glande endocrine. Par contre, les hormones n'ont pas d'actions métaboliques fondamentales. Leur rôle se borne à régler la bonne marche des phénomènes physiologiques.

En général, les hormones apparaissent comme des messagères chimiques jouant un rôle essentiel dans toutes les fonctions organiques. Elles président à l'harmonisation des formes et à la constitution de la personnalité. Les glandes endocrines influencent la croissance, régularisent l'équilibre vital, participent aux fonctions de certains tissus. Le système endocrinien dépend beaucoup du système nerveux. En réalité, les deux systèmes ont besoin l'un de l'autre; par exemple, le système nerveux sera influencé par la thyroxine, l'hydrocortisone et l'insuline qui sont des hormones. En revanche l'hypophyse et les autres glandes endocrines sont recommandées par le système nerveux central. Ces deux structures dépendent des apports de matériaux nutritifs et de l'oxygène, exactement comme les autres cellules du corps.

Il existe de multiples interrelations entre les différentes glandes endocrines.

Toute modification dans l'activité d'une glande endocrine, entraîne, par contrecoup, la réaction d'autres glandes.

Pourquoi l'arthrite, le rhumatisme, l'arthrose et la goutte, ne seraient-ils pas causés par le stress!

Il se formerait alors des acidoses locales, en ce sens qu'elles toucheraient des endroits affaiblis soit par des chocs opératoires, soit par des accidents soit encore par des malformations congénitales. Elles toucheraient aussi les endroits qui travaillent le plus souvent et le plus fort. En plus, elles pourraient provenir de la parathormone qui, comme nous l'avons vue, est une hormone produite par les parathyroïdes. Il y aurait, en somme, augmentation de calcium à certains endroits parce qu'en d'autres endroits, il y aurait une perte appréciable à cause d'un mauvais fonctionnement de ces glandes, de carences nutritionnelles et d'une mauvaise assimilation.

Lors d'expérience, les docteurs A. Horava et A. Robert, ont observé qu'un liquide inflammatoire particulier était sécrété par certaines tumeurs chez le rat. Pour sa part le docteur Jasmin découvrit que si l'on injectait un seul centimètre cube de ce liquide dans le sang d'un rat, au bout de quelques jours, une inflammation accusée apparaissait dans plusieurs articulations, notamment dans les articulations des attaches supérieures et inférieures des pattes avant et arrière, mais aussi dans les multiples articulations de la colonne vertébrale.

À la suite de ses expériences, Hans Selye conclura:

"Ces constatations confirment que l'action de certains agents externes et susceptibles soit de provoquer l'arthrite, soit d'être inefficace, selon les possibilités de défense hormonale de l'organisme."

"Elles confirment aussi que la maladie dépend: du liquide de la tumeur (qui agit comme un stress sélectif sur les articulations), de la quantité d'hormone anti-inflammatoire, de la quantité d'hormone pro-inflammatoire dans le sang."

"Ces affections diffèrent des formes expérimentales analogues que nous obtenons chez les rats; d'ailleurs aucune maladie spontanée de l'homme ne peut être confondue avec son homologue provoquée chez des cobayes, mais elles ont certainement des points communs et sont probablement soumises aux mêmes lois générales."

"La cause déterminante de la fièvre rhumatismale et de l'arthrite rhumatoïde (douleurs analogues à celles du rhumatisme) (le facteur qui correspondrait à l'huile de croton, au formol, ou au liquide de la tumeur dans nos expériences) n'a pas encore été définitivement identifiée mais leurs manifestations, comme celles de ses homologues expérimentales, dépendent en grande partie des hormones produites par le malade."

Ce faisceau de constatations concordantes indique bien que les affections rhumatismales sont des maladies d'adaptation typiques, puisque ces maladies disparaissent sans intervention médicale dès que les défenses de l'organisme sont adéquates. "C'est pourquoi il fut particulièrement instructif de découvrir que cette tendance à l'arthrite généralisée, provoquée chez le rat, dépend aussi du mécanisme de la fonction de défense du groupe hypophyse-surrénales". Autrement dit, lors d'arthrite rhumatoïde, l'organisme s'attaque à lui-même par erreur, ou encore dans d'autres types d'arthrites, ne se défend pas suffisamment.

Mouriquand mentionne: "Les glandes à sécrétion interne qui constituent de véritables postes de commandement de la nutrition normale peuvent bien intervenir également dans les troubles de celle-ci. Et de ce fait, l'analyse serrée des manifestations dites arthritiques de tout ordre nous permet de les rattacher souvent à un mauvais fonctionnement d'une ou de plusieurs glandes à sécrétion interne".

Voici les principaux chocs pouvant déclencher le stress dans notre organisme:

1) Les aliments stressants ou excitants:
   a) le café, le thé, le chocolat.
   b) le sucre.
   c) les boissons alcoolisées.
   d) la cigarette.

2) Les chocs provenant de notre environnement:
   a) la pollution de l'air et de l'eau.
   b) la pollution des aliments par des produits chimiques.
   c) le bruit, les conflits au travail.

3) Les aliments pauvres en vitamines, en minéraux, en oligo-éléments et autres substances nutritives
   a) causent des carences en vitamines, en minéraux et déclenchent le stress.

4) Les pensées négatives:
   a) la haine.
   b) la méfiance.
   c) l'appât du gain.
   d) les troubles conjugaux.
   e) les conflits de travail.
   f) l'absence de dimension spirituelle.

Ces chocs déclenchent régulièrement du stress dans notre organisme.

Si la tension intérieure persiste trop longtemps, il se produit un blocage digestif causé par le stress. D'ailleurs, le chercheur Hans Selye mentionne qu'au début de chaque stress, il y a toujours une insuffisance hépatique marquée, ce qui veut dire qu'il y a un ralentissement prononcé des organes de la digestion, ce qui produit à la longue une rétention des déchets qui pourra, chez certains individus, déclencher des maladies comme l'arthrite, le rhumatisme, la goutte, et toutes les autres maladies de notre civilisation.

16

L'hypoglycémie, le stress et l'acidose

Hans Selye dit que chaque fois que nous déclenchons une réaction de stress, il se produit une insuffisance hépatique marquée, ce qui veut dire que lors d'un stress, le corps fait fonctionner le système digestif (le foie, l'estomac, les reins, les intestins), au ralenti. Le stress est une défense active de l'organisme ce qui veut dire que notre système glandulaire travaille à garder élevé le taux de sucre du sang, afin que le corps soit plus fort physiquement pour résister à une agression quelconque.

Mais si une personne subit des chocs de son environnement ou si elle entretient des pensées négatives ou encore si elle consomme régulièrement des excitants alimentaires comme le thé, le chocolat, le sucre, les boissons alcoolisées, le tabac. C'est bien certain qu'après un certain temps, selon la force vitale des glandes, une des glandes flanchera et deviendra excitable et excitée.

Hans Selye dira: "Il y a toujours un maillon dans la chaîne glandulaire qui peut lâcher". Alors c'est le début du stress ou de l'hypoglycémie.

Mais tant et aussi longtemps que la glande n'a pas lâché il ne se passe rien de fâcheux. Le stress ou l'hypoglycémie prolongée plongera le corps dans un état d'acidose, en plus de l'amener à vivre de très fortes périodes de tension intérieure et de nervosité.

Notre corps est réglé par deux systèmes nerveux: Le système sympathique et le système parasympathique. Mais notre système d'alarme est le système sympathique qui déclenche le stress en envoyant une hormone au cerveau plus précisément à un endroit appelé, la zone limbique, qui régit les émotions. Si le signal analysé est important, il est alors immédiatement transmis à la glande hypothalamus, située au centre du cerveau et appelé "le chef d'orchestre", car c'est cette glande qui déclenche le stress, en envoyant une hormone à la glande l'hypophyse, une autre glande située juste en dessous de l'hypothalamus. A son tour, l'hypophyse enverra une hormone appelée A C T H à la glande surrénale qui sécrète deux hormones: l'adrénaline sécrétée par la médullo-surrénale et la cortisone produite par la cortico-surrénale.

C'est à la suite de ces réactions chimiques que nous commençons à ressentir les effets du stress. Imaginez qu'un individu qui pendant plusieurs années boit plusieurs tasses de café par jour, fume la cigarette et consomme des boissons alcoolisées et des desserts sucrés, quel genre de stress peut-il se donner?

Ses glandes subissent tous les jours des chocs. Combien de temps, cet individu peut-il résister à ce stress? Cela dépend de sa force physique.

Imaginons encore une personne qui se stresse par l'ennui, le manque de confiance en elle, des pensées négatives. Ces états sont des chocs aussi violents que les excitants alimentaires. Si nous ajoutons à tous les chocs énumérés la pollution de l'air, de l'eau et de l'alimentation par les additifs chimiques qui causent eux aussi des agressions, en particulier à nos glandes, il n'est pas surprenant de voir autant de personnes malades et surtout autant d'arthritiques, de rhumatisants, d'arthrosiques et de goutteux.

Paul Chauchard, un neurophysiologiste français dira dans son livre ''l'équilibre sympathique'' **ce qu'il faut éviter, si nous voulons garder le sympathique en grande forme:**

''Il n'y a pas d'hygiène spéciale du sympathique, c'est l'hygiène générale qui ménage tous nos organes et nous assure une longue vie. Ce n'est qu'en observant une vie aussi naturelle que possible (vie régulière comportant assez d'exercices physiques et d'aération, sommeil suffisant la nuit à heures fixes, alimentation équilibrée, lutte contre la constipation, pas d'émotions violentes, ni d'excès ou de déviations sexuelles si agressives pour le sympathique, abstention vis-à-vis des toxiques, tels que alcool, tabac, analgésiques, hypnotiques ou excitants) que le sympathique peut-être maintenu en équilibre condition obligatoire de la santé''.

Nous avons vu que le stress déclenche une augmentation d'adrénaline; voici entre autres, quelques-unes des fonctions de l'adrénaline dans le corps:
a) provoque la libération de molécules de triglycérides.
b) diminue l'entrée du glucose dans le muscle.
c) stimule la dégradation du glycogène.
d) dilate les bronches.
e) stimule le coeur en augmentant le rythme, la sensibilité et le débit cardiaque.
f) inhibe le péristaltisme intestinal.

C'est pour cette raison que beaucoup de personnes souffrent sans raison apparente, de troubles comme des sueurs subites, des palpitations au coeur, des tremblements intérieurs, elles ont les mains et les pieds froids. Si nous déclenchons trop souvent des stress, nous risquons à la longue de voir une ou plusieurs de nos glandes hyperactives ou hypoactives déclencher un stress hypoglycémique, autrement dit un stress ''prolongé''.

À cette situation de déséquilibre biologique s'ajoutera un dérèglement du système nerveux sympathique et parasympathique.

Et cette tension intérieure provenant du stress hypoglycémique, à la longue, cause une acidose parce que le stress hypoglycémique provoque une insuffisance hépatique (ralentissement du foie) et amène également une insuffisance digestive entraînant une mauvaise élimination des déchets et une mauvaise assimilation des vitamines, des minéraux et des oligo-éléments.

Comme le stress hypoglycémique peut durer, dans la plupart des cas, de très nombreuses années, cela en fait la cause principale des maladies des os, des cartilages, des muscles et de toutes les maladies finissant en ''ites'' telles que: fibrosite, bursite, arthrite, tendinite.

Voici quelques passages de Hans Selye, extrait de son livre ''Le stress de la vie'' Éd. Gallimard/Lacombe:

La goutte:

''la goutte est due essentiellement à un dérèglement du métabolisme de l'acide urique: On ne sait pas très bien pourquoi les attaques de goutte se produisent immédiatement après, et non pendant le stress, mais il est probable que cet état résulte, au moins pour une part, d'un dérèglement des réactions hormonales.''

''Pour aussi inévitable que soit le stress tout au long de l'existence, on peut apprendre à réduire au minimum ses conséquences dangereuses. C'est ainsi par exemple que nous commençons à peine à comprendre que beaucoup de maladies courantes sont davantage dues à notre manque d'adaptation au stress qu'à des accidents causés par des microbes, des virus, des substances nocives ou tout autre agent externe; que bien des troubles nerveux et émotionnels, hypertension, ulcères de l'estomac et du duodénum, certaines formes de rhumatismes, allergies, maladies cardiaques et rénales, semblent être essentiellement des maladies d'adaptation''.

''Depuis quelques années, de nombreuses expériences ont été réalisées dans le but d'éclairer la nature et le rôle de ces facteurs conditionnants. On les a divisés en deux groupes: ceux qui sont propres à l'organisme (prédisposition héréditaire, modifications acquises antérieurement c'est-à-dire le vécu du sujet, interventions chirurgicales, etc.) et ceux qui constituent des facteurs externes (tels l'alimentation, les facteurs sociologiques, la pollution atmosphérique).''

En conclusion à ce chapitre, nous pouvons dire que tout ce qui constitue un choc pour le corps, le conduit, à la longue au stress et ce stress aura comme effet s'il est violent ou s'il dure pendant plusieurs années de déclencher, selon les individus les différentes maladies de notre civilisation et les conduira aux différentes sortes d'arthrite, de rhumatismes.

L'hérédité.	Les excitants alimentaires.	Les chocs de l'environnement.	Les pensées négatives.	Une recherche spirituelle angoissante ou absente.

Ces facteurs déclenchent le stress dans notre corps physique.

STRESS

Hans Selye dans ses travaux de recherches, mentionne qu'au début du stress, il y a toujours une insuffisance hépatique marquée.

Cette insuffisante hépatique engendrera à la longue une insuffisance digestive, c'est-à-dire que les organes de la digestion et de l'élimination (le foie, l'estomac, les intestins, les reins) finiront par fonctionner au ralenti, ce qui provoquera une augmentation des déchets acides dans le sang, à son tour, le sang versera des dépôts de substances acides dans les muscles, acidifiera les cartilages et entraîneront des troubles arthritiques et rhumatismaux parce que l'excès d'acidité favorisera l'élimination de différents éléments importants à la fabrication des os; comme la silice, le magnésium, le calcium, etc.

17

Les noeuds de l'esprit

Entreprendre une démarche de désintoxication et de revitalisation du corps physique, afin de soigner une maladie arthritique ou rhumatismale, nous amène à prendre contact avec de multiples dimensions de nous-même.

Le développement de l'arthrite n'est pas le fruit du hasard comme vous avez pu le constater. Compte tenu du bagage héréditaire reçu, les manquements répétés aux lois de la nature, l'accumulation du "stress" et des tensions spirituelles (celles de notre être profond), se répercutent sur notre "corps d'énergie", notre cerveau et notre système nerveux autonome (système neuro-végétatif) débalançant ainsi notre système digestif, nos glandes et notre système de défense. Il devient donc essentiel de réaliser la nature et l'ampleur de ces tensions et de dénouer les noeuds de notre vie profonde: ressentiment, regrets, révolte, déchirements, etc...

Toutes ces lourdes tensions se reflètent sur notre corps physique et peuvent amplifier le processus de la maladie.

N'est-il pas essentiel d'entrer au coeur de soi et de renouer avec la vie de l'esprit?

L'emprise de la vie matérielle n'a-t-elle pas coupée notre lien avec la compréhension du vrai sens de la vie?

Donnons-nous un sens positif à notre vie?

Cultivons-nous l'harmonie dans nos rapports avec les autres?

Sommes-nous capables de communiquer avec les autres nos aspirations, nos difficultés, nos appréciations?

Avons-nous développé suffisamment notre créativité ou sommes-nous enfermés dans un univers terne, morose où règnent l'ennui et une solitude malsaine?

Notre esprit est-il à ce point endormi et paresseux qu'il n'arrive à transmettre que peu d'irradiations bénéfiques à notre corps physique?

Notre noyau spirituel a une fréquence vibratoire supérieure à celle de notre corps physique car, il est d'une autre nature. En sommes-nous conscients? Toutefois cette fréquence vibratoire spirituelle a besoin d'une nourriture d'un autre ordre: l'art véritable, la beauté, le recueillement, la prière.

Notre esprit a besoin de Lumière et il porte toujours une étincelle de recherche, de quête de la Vérité; à moins d'être complètement étouffé. Accordons du temps à cette recherche intérieure et nous serons plus en mesure de trouver la juste compréhension des événements de notre vie.

Chaque thérapeute parle de ce qu'il a personnellement vécu et de ce qui lui a fait du bien. Personnellement, après avoir lu nombre de livres positifs afin de me sortir du négativisme et de ''l'apitoiement'' dans lesquels je m'étais embourbé depuis plusieurs années, j'ai entrepris une démarche spirituelle grâce à la lecture d'une oeuvre unique. Cette oeuvre disponible en librairie a pour titre: **"Dans La Lumière de la Vérité"**, Message du Graal de Abd-ru-shin (Éditions françaises du Graal).

Traduite de l'allemand, cette oeuvre est actuellement disponible en huit langues, dans de nombreux pays. L'oeuvre de Abd-ru-shin est un véritable remède spirituel capable de déclencher un processus de purification chez le chercheur sincère et de donner l'aide qu'il lui faut pour devenir un esprit accompli. Évidemment cela demande de l'humilité et de la persévérance mais quelle joie de sentir enfin vivre son esprit!.

18

Les recherches scientifiques

CES TRAVAUX DE RECHERCHES PROVIENNENT DE LA LIBRAIRIE DE L'ACADÉMIE MÉDICALE DE NEW YORK.

Il y a quelques années après avoir été guéri de l'arthrite, j'ai poussé à fond mes recherches; pendant de longues heures, j'ai scruté des thèses de recherches disponibles à la librairie de cette académie. Je veux, en guise de conclusion vous présenter des extraits de quelques-unes de ces thèses afin de vous permettre de réaliser que des chercheurs sérieux ont vu et voient encore un rapport entre l'alimentation et le développement de l'arthrite, entre certaines carences en vitamines et en minéraux et les troubles osseux.

D'ailleurs, dans le journal la Presse, nous pouvions lire, le vendredi 23 avril 1987, un article intitulé ''Programme de recherche pour établir s'il est possible de faire régresser les maladies des artères coronaires'', et la conclusion de cet article était celle-ci:

Selon le cardiologue (Lucien Campeau de l'Institut de cardiologie de Montréal), le corps médical en général se rend compte qu'on a sous-évalué l'importance de l'alimentation pour la santé du corps humain et qu'on allait devoir réapprendre à manger. ''Nous constatons, de plus en plus, que l'alimentation saine peut jouer un rôle préventif vis-à-vis certaines maladies comme le cancer, l'arthrite, le diabète et un tas de troubles digestifs'' a précisé le cardiologue. Et je me permets d'ajouter, un rôle curatif également.

Ces extraits de thèses comportent évidemment plusieurs termes scientifiques. Ces termes sont expliqués au fur et à mesure, sous les extraits.

LE DOCTEUR ARMAND VINCENT

''Les méfaits de l'arthritisme''
causes profondes
nouveaux traitements
Neuchâtel et Paris 1949.

''Le corps humain est comparable à une machine qui doit être ménagée, surveillée, nettoyée, révisée, et surtout conduite avec tact et discernement si l'on veut éviter son encrassement, sa détérioration et son arrêt. (...)

Nous sommes obligés de fournir à notre organisme une grande quantité de combustible, afin qu'il puisse satisfaire nos besoins en calories. C'est de cet excès inévitable d'apports alimentaires néces-saires, certes, mais dépassant parfois les possibilités de rendement des organes, que résulte le déséquilibre entre les fonctions d'assimilation et celles de désassimilation, qui provoque l'encrassement, autrement dit, l'arthritisme. (...)

Les impuretés et les toxines résultant des rétentions de l'appareil digestif pénètrent dans l'organisme et s'y répandent par la circulation. Les surcharges qu'elles apportent dans le sang se traduisent par une augmentation de densité avec hyperviscosité et surcroît de substances toxiques (urée, acide urique, sucre, acétone, etc.). (...)

Pour faciliter les sorties et les éliminations des excédents, on doit suivant l'intensité des cas, réduire l'alimentation des arthritiques, le sel, le sucre, les graisses, les sauces, les aliments lourds, la viande, les charcuteries, etc. ainsi que les boissons alcoolisées et les vins trop sucrés ou chargés de tanin (vins rouges) doivent être proscrits. (...)

Les malades seront alimentés principalement avec des légumes, des pâtes, des laitages frais, des compotes ou fruits cuits; l'huile est très indiquée ainsi que l'eau en abondance car elles facilitent les élimi-nations et constituent les deux bases essentielles du régime de l'ar-thritisme. (...)

(...) Outre les restrictions alimentaires, il faut régler le régime de vie des arthritiques. Il convient de leur enseigner à combattre la séden-tarité, à pratiquer la culture physique, la marche à pied et même les sports, avec modération. En un mot, on doit conseiller un bilan logique, équilibrant les recettes et les dépenses organiques en proportions raison-nées.''

Dans sa conclusion, le docteur Vincent dira:

''Dès que la compréhension de l'enfant le permettra, il sera donné à celui-ci des habitudes essentielles et méthodiques sur les fonctions, le rationnement, l'exercice, le sommeil, afin d'établir l'équilibre de son être.

''Enfin pour l'adolescent, il sera institué dans les écoles primaires et secondaires des causeries, des cours, des conférences graduées suivant les âges et que l'on pourra étendre aux adultes dans les ateliers, c'est-à-dire partout où se trouvent les collectivités.''

''Surveiller les entrées et faciliter les sorties du corps humain, qui est comparable à une usine, sont les principes les plus essentiels des actions préventives de l'arthritisme.''

TRAU-VAN-NINH.

"AU SUJET DE QUELQUES OBSERVATIONS CONCERNANT CERTAINES MANIFESTATIONS DITES ARTHRITIQUES." 1931 Thèse.

"À côté de l'acide urique, on fit une place à la cholestérine (CHAUFFARD, BRODIN et GRIGAUT). Les thophi de la goutte sont en effet des dépôts composés presque exclusivement *d'urates de soude et de *cholestérine. De nouvelles recherches permirent encore d'incriminer *l'acide oxalique. Toutes ces substances, quand elles sont en excès dans nos humeurs, veulent se déposer dans toutes sortes de tissus: elles fixent les sels minéraux du sang, ainsi se constitue la sclérose, ainsi se constitue nombres *d'épines irritantes."

PROFESSEUR GEORGES MOURIQUAND

"Ostéopathie par avitaminose C chronique et syndrome rhumatisme ankylosant."

"Nos dernières expériences nous ont par ailleurs montré que d'autres lésions osseuses expérimentales voisines, semble-t-il de certaines lésions cliniques, peuvent être obtenues grâce à un régime longuement imposé *d'avitaminose C partielle. Dans ces cas, outre les lésions d'ostéose et périostéose portant sur les *fémurs, les *tibias et *les péronés, nous avons parfois observé des *décalcifications progressives de la *tête fémorale aboutissant à sa résorption totale. Nous avons également vu dans certains de ces cas, de grosses lésions de périostéose atteignant les os du bassin (iliaques)."

MARIE-HÉLÈNE MANGENOT 1938

"Contribution à l'étude des manifestations ostéo-périostiques de l'avitaminose C.

"La plupart des auteurs sont d'accord pour admettre avec ROHMER et BEZSSOMOFF, que les infections aiguës ou chroniques, les *dystrophies, la prématuration et, d'une manière générale, toutes les déficiences organiques sont capables d'entraîner une augmentation des besoins de l'organisme en vitamine C expliquant des carences malgré des rations alimentaires suffisantes. (…)

Mais comment expliquer ces lésions de décalcification, de *géodes, communes à notre observation et à celle de M. Cain et ses collaborateurs) (*décalcification épiphysaire avec aspect géodique.) Il n'est pas démontré que l'avitaminose C, soit seule en cause, les troubles digestifs expliquant chez l'enfant ou autres, la carence en facteur C, peuvent être à l'origine d'autres avitaminoses, notamment d'une carence en facteur D, dont on connaît le retentissement sur le métabolisme du calcium. Dans le cas qui nous intéresse, il existait une hypocalcémie importante puisque le taux du calcium sanguin était de 60 mg par litre. On peut donc rendre l'association de plusieurs carences responsable des divers symptômes observés. (...)

(...) La vitamine C est-elle seule en cause dans le déterminisme des troubles osseux? C'est possible, puisque MOURIQUAND est parvenu à réaliser chez le cobaye recevant une quantité insuffisante d'acide ascorbique, des lésions *ostéo-articulaires rappelant les nôtres; *des raréfactions osseuses à l'épiphyse; *des périostites diaphysaires engainantes; *des ankyloses articulaires, liées à de véritables décalcifications du squelette, avec calcifications péri-osseuses.''

DANIEL CRITZMAN

"La goutte son mécanisme et son traitement".

"La viande est nuisible aux *uratiques.

L'alimentation carnée exclusive augmente l'acide urique, qui monte de 0,669 p. 100 à 10,37 p. 100. (...)

(...) Dans le régime végétarien absolu, au contraire, l'acide urique diminue rapidement et intensément pour tomber à 0,458 où il se maintient.''

"Chaque milligramme d'acide urique formé dans l'économie, ou introduit par la voie digestive, doit être éliminé par l'urine; dans le cas contraire, il se dépose à l'intérieur du corps, celui-ci ne possédant aucune autre voie d'élimination pour se débarrasser de cet acide. L'*albumine alimentaire ingérée formerait de *l'urée et de l'acide urique dans un rapport toujours constant, $\frac{1}{33}$; le coefficient urique se trouve ainsi facilement déterminé lorsqu'on a soin de tenir compte de l'acide urique préformé ou des composés de la même famille introduits dans l'organisme avec les aliments. (...)

(...) L'élimination de ces déchets, toujours les mêmes au point de vue quantitatif, ne dépend que des conditions de solubilité que la masse d'acide.urique trouve dans le liquide sanguin. Si ces conditions sont très défavorables, l'acide urique s'échappe rapidement du torrent circulatoire et se dépose dans les organes comme la rate, le foie, les articulations; les reins ne sauraient soustraire au sang, ainsi dépouillé d'une grande partie d'acide urique formé, que des traces impondérables. (…)''

ORIGINE COMPLÉMENTAIRE DE L'ACIDE URIQUE.

''En étudiant l'origine de l'acide urique, nous avons été frappés de la multiplicité des sources dont il tire sa provenance. HAIG a étudié ces sources d'une manière particulièrement intéressante et conclut que la quantité d'acide urique journellement éliminée naît: 1- De l'acide urique formé dans les échanges nutritifs de l'albumine alimentaire, en rapport quantitatif constant avec l'urée; 2- De l'acide urique, de ses sels et d'autres corps du groupe urique (*bases xanthiques) introduits avec les aliments dans l'économie humaine; 3- De l'acide urique accumulé dans les organes et qui peut être dissous et éliminé à chaque augmentation de *l'alcalose sanguine. (…)

(…) HAIG, au contraire, ne croit pas que l'acide urique ainsi ingéré subisse la moindre modification dans l'économie de sorte que, un trouble même léger dans la fonction rénale peut amener une accumulation d'acide urique dans l'économie et déterminer les troubles que l'on connaît. (…)

(…) SCHMOLL range parmi ces derniers aussi bien des *nucléines vraies, que des bases végétales, d'origine alimentaire ou médicamenteuse comme la *théine, la caféine, la *théobromine.''

AHMAD DANECHVAR 1939
"Les altérations du squelette au cours des avitaminoses C."

''L'étude expérimentale du *scorbut a également démontré la sensibilité particulière du tissu osseux à l'état de carence en vitamine C, puisqu'une carence partielle, incapable de provoquer des troubles de l'état général, retentit électivement sur le système osseux. Bien mieux, l'état de carence fruste ou inapparente, réalisée par M. Mouriquand chez les animaux s'est montré d'une fréquence insoupçonnée chez le nourrisson et même chez l'homme adulte. (…)

(…) M. DANECHVAR dira: L'observation de M. CAIN prouve qu'en dehors de ces modifications osseuses discrètes, longues à apparaître et longues à disparaître, il peut exister des décalcifications massives, importantes, aboutissant à la formation de véritables *géodes intra-osseuses respectant la corticalité du squelette. (...)

Avitaminose C et rhumatisme chronique ankylosant.

La carence partielle en vitamine C a permis d'obtenir chez le cobaye un véritable syndrome de rhumatisme chronique ankylosant. Il s'agit là d'une expérience récente, réalisée par M. Mouriquand et ses collaborateurs. (...)

(...) Voici comment procèdent ces expérimentateurs:

Des cobayes sont maintenus pendant plusieurs mois à un régime scorbutigène, additionné de ½ à 1 milligramme d'acide ascorbique par jour. Cette dose d'acide ascorbique est incapable d'empêcher à la longue l'apparition de signes oedémateux et hémorragiques typiques du scorbut (et d'ailleurs facilement jugulés par de fortes doses d'acide ascorbique), mais très suffisante pour empêcher la dystrophie générale: les animaux prennent du poids, présentent un bon état général. Bien mieux, plus l'état général est bon, et plus les lésions hémorragiques seront précoces et intenses. (...)

(...) Similitude clinique entre le scorbut latent et le stade précoce, prérhumatismal de la maladie de BOUILLAUD. (...)

(...) Les symptômes du début de la maladie de Bouillaud: anorexie, asthénie, pâleur, perte de poids, douleurs dans les membres (OHNELLE, MEULENGRACHT, FRIDERICHSEN, VINING, COOMBS) sont aussi ceux du scorbut fruste. Même la fragilité capillaire, si particulière au scorbut, a été retrouvée dans le rhumatisme articulaire aigu par STEPHAN et WIENER. Recherche de la saturation de l'organisme en vitamine C au cours de la maladie de Bouillaud. (...)

(...) ABBASY, GRAY HILL et Harris ont étudié cette question chez 107 rhumatisants actifs et 86 convalescents de rhumatisme, cliniquement guéris. Qu'il s'agisse de rhumatisme actif, de rhumatisme cliniquement guéri ou même de chorée, les constatations des auteurs étaient identiques dans tous les cas: il y a dans cette affection un trouble profond de la vitamine C.''

VOICI UNE DESCRIPTION DES MALADIES ARTHRITIQUES ET RHUMATISMALES, AINSI QU'UN GLOSSAIRE EXPLICATIF.

19

Les maladies arthritiques et rhumatismales

LES ARTHROPATHIES URATIQUES

Elles sont la conséquence des destructions articulaires provoquées par la précipitation de l'acide urique dans les jointures. En se déposant dans les articulations, l'acide urique s'infiltre dans le cartilage et le corrode, détruit l'os en y creusant des cavités dans lesquelles il s'accumule, enflammant la synoviale dans laquelle il s'incruste. Tout cela se traduit par un gonflement et une raideur douloureuse des jointures affectées.

LES RHUMATISMES ARTICULAIRES DÉGÉNÉRATIFS: LES ARTHROSES.

Les lésions de l'arthrose:

Destruction du cartilage, prolifération de l'os. Le cartilage s'ulcère et il disparaît comme s'il s'usait. Les extrémités osseuses, elles ne s'usent pas, ne se détruisent pas; au contraire elles s'épaississent, s'hypertrophient et construisent de la substance osseuse. Sous les ulcérations cartilagineuses, le tissu osseux devient plus dense, plus dur et surtout, il prolifère en formant des végétations, des excroissances osseuses appelées ostéophytes.

L'arthrose est une usure singulière puisqu'elle épaissit l'os au lieu de l'amincir; c'est aussi un étrange vieillissement, puisqu'elle rend à un os de cinquante ans ce pouvoir de croître et de se multiplier qui n'appartient normalement qu'à l'os de l'enfant et de l'adolescent. La douleur de l'arthrose paraît être la conséquence de l'inflammation synovite qui secondairement, la complique.

Or cette synovite secondaire des arthroses est d'évolution capricieuse: elle subit des poussées, suivies d'apaisement. Les arthroses sont des maladies localisées, sauf exception. L'arthrose n'est qu'une détérioration articulaire localisée qui n'intéresse pas l'ensemble de l'organisme.

Il ne faut pas croire que les douleurs, elles aussi vont toujours en augmentant, ni même qu'elles persistent indéfiniment. Suivant les caprices de l'inflammation synovite, les douleurs de l'arthrose sont sujettes à des poussées, à des rémissions partielles ou complètes, courtes ou longues. Les arthroses sont surtout fréquentes aux membres inférieurs.

La coxarthrose ou arthrose de la hanche:

C'est la plus fréquente des arthroses articulaires. Le début de la coxarthrose est presque toujours progressif; la douleur en est le maître symptôme. Elle crée une douleur de la cuisse et du genou. Une fois sur dix, seul le genou est douloureux. C'est ce que nous appelons, une douleur projetée. La douleur, dans la coxarthrose, a généralement un rythme mécanique; elle est aggravée par la marche, l'appui, le mouvement, mais elle est calmée par le repos. La boiterie apparaît généralement après quelques années d'évolution. La limitation des mouvements avec douleur en fin de course, est le signe majeur (la limitation des mouvements est souvent constatée par le sujet).

L'arthrose du genou ou gonarthrose:

Elle atteint surtout les femmes de 50 à 60 ans. Le genou arthrosique est généralement gros. Ses mouvements sont limités et douloureux dès que l'extension ou la flexion sont forcées. Si l'on appuie sur la rotule en même temps qu'on fléchit le genou, on perçoit des craquements en même temps que l'on réveille une douleur au genou, qui peut irradier dans la jambe.

L'arthrose du gros orteil:

L'arthrose du pied frappe surtout l'articulation qui est située à la base du gros orteil (articulation métatorso-phalangienne) entraînant des douleurs à la marche et une tuméfaction dure à la racine du gros orteil. Le gros orteil perd sa mobilité. Il est raide.

L'arthrose des doigts:

Les arthroses des membres supérieurs sont rares. Les arthroses des doigts atteignent surtout les articulations situées à l'extrémité des doigts, les articulations interphalangiennes, elles y forment des nodosités. Au pouce, l'arthrose atteint, au contraire, l'articulation de la racine c'est-à-dire, celle qui unit le pouce au poignet.

La détérioration arthrosique des disques:

On sait que l'arthrose est une détérioration articulaire progressive, au cours de laquelle le cartilage articulaire se détruit, tandis que l'os prolifère en formant des ostéophytes. Dans la discarthrose, la détérioration porte à la fois sur le disque intervertébral et sur les plateaux osseux des vertèbres voisines. Selon qu'on donne plus d'importance à l'atteinte du disque ou à celles des vertèbres, on emploie les mots "spondy l'arthrose" (arthrose du disque). Ces deux mots sont synonymnes. La détérioration de disques entraîne:

— La désintégration du noyau, qui se fragmente, s'affaisse et qui peut, à la fin, disparaître.

— La rupture et la destruction progressive des lamelles élastiques de l'anneau, qui sont progressivement remplacées par un tissu dépourvu d'élasticité, fragile et prompt à se déchirer. La déchirure de l'anneau fibreux laisse apparaître à l'intérieur du disque, des fentes, des fissures, des crevasses, le disque ne résiste plus aux pressions et il s'affaisse.

Les "becs de perroquets" sont les témoins inoffensifs du vieillissement. L'ostéophyte est le cheveu blanc de la vertèbre.

L'os des plateaux vertébraux, comme tout os arthrosique, dégénère en formant des végétations osseuses, des excroissances osseuses en forme d'épines, de crochets, de "becs de perroquet", qui poussent autour du disque, sur le rebord extérieur des plateaux vertébraux. Ces végétations osseuses sont les ostéophytes (ostéon = os: phytos = végétation) mais ils ne sont nullement responsables des douleurs. Les ostéophytes ne compriment jamais les nerfs, ils "n'embrochent" pas les nerfs, ils sont seulement les témoins de la dégénérescence discale, témoins expressifs, mais inoffensifs.

La hernie discale:

Ce sont les détériorations qui se produisent à l'intérieur des disques, qui aboutissent à créer des hernies du noyau pulpeux, appelées hernies discales. Dans un disque sain, le noyau discal est enfermé dans une logette bien close située au centre du disque. Quand le disque se détériore, c'est la fissuration de ce feutrage périnucléaire qui va rendre possible la hernie du noyau à l'occasion soit d'une chute, soit d'un effort de soulèvement, soit encore de faux mouvements.

Douleurs du cou: les cervicalgies:

La plupart des sujets qui souffrent de douleurs au cou ont une arthrose cervicale: une cervicarthrose. Ils se plaignent d'une gêne douloureuse aux mouvements du cou. Ils éprouvent aussi un certain degré de raideur cervicale, la douleur a des hauts et des bas, elle se manifeste certains jours sous forme de torticolis, disparaît puis revient. Les cervicarthroses se situent au niveau des cinquième et sixième disques cervicaux, c'est d'ailleurs à ce niveau que la colonne effectue les mouvements de flexion et d'extension les plus amples. Les disques arthrosiques sont affaissés et les plateaux vertébraux, situés de part et d'autre du disque affaissé, sont prolongés par des ostéophytes, becs de perroquets souvent très volumineux.

La discarthrose:

L'arthrose cervicale est habituellement une unco-discarthrose. Les douleurs dans l'arthrose cervicale ne proviennent pas toujours seulement du disque lui-même. L'arthrose peut se localiser sur les petites articulations dites unco-vertébrales par lesquelles chaque vertèbre cervicale, grâce à deux petits prolongements osseux en forme de crochets, s'articule avec les faces latérales du corps de la vertèbre situé au-dessus d'elle. En fait, ces lésions d'arthrose discale s'accompagnent presque toujours de lésions arthrosiques de l'articulation unco-vertébrale.

L'arthrose cervicale:

L'arthrose cervicale est une affection bénigne, sauf exception, l'arthrose cervicale ne devient une maladie vraiment pénible que dans les cas où elle est accompagnée de ''névralgie'' cervico-brachialgie, de douleurs dans les bras, liées à l'atteinte des racines nerveuses qui traversent la colonne vertébrale en passant au voisinage immédiat des lésions arthrosiques.

Les douleurs au dos: dorsalgies:

La dorsalgie:

Très souvent, on peut dire qu'il n'y a aucun rapport entre les couleurs du dos dont souffrent certaines personnes et les lésions d'arthrose dorsale qu'on voit sur les radiographies.

L'arthrose dorsale est en effet assez courante après 50 ou 60 ans: presque tous ces sujets ont des becs de perroquet, petits ou gros, à la partie antérieure des vertèbres dorsales.

Le rhumatisme et les nerfs:

Certaines douleurs proviennent des racines des nerfs; les radiculalgies, les deux plus fréquentes sont: la ''sciatique'' qui est une douleur de la fesse, de la cuisse, et de la jambe et la ''névralgie cervico-brachiale'' qui est une douleur du cou, de l'épaule et du bras.

La sciatique:

C'est une douleur postérieure de la fesse, de la cuisse et de la jambe. La douleur prend naissance au bas de la colonne vertébrale dans la région lombo-sacrée ou au-dessus de la fesse, elle descend dans la fesse, puis derrière la cuisse; atteint le mollet ou la face extérieure de la jambe et parvient souvent au pied ou même jusqu'aux orteils. Une sensation d'engourdissement, de fourmillement accompagne souvent la douleur, et parfois la remplace. Quand les douleurs et les fourmillements existent ensemble. La douleur affecte surtout la fesse et la cuisse, tandis que le fourmillement et l'engourdissement se font sentir plutôt dans la jambe et surtout dans le pied. La sciatique est surtout fréquente entre trente et cinquante ans. Très souvent, avant de souffrir de sciatique, le sujet a déjà souffert des reins. Beaucoup de sciatiques entraînent une déformation de la colonne vertébrale qui est une attitude de défense. Qu'est-ce que la sciatique commune? C'est un conflit entre une disque et le nerf sciatique et une hernie du disque intervertébral. Presque toutes les sciatiques sont dues à une hernie discale qui comprime ou irrite une des racines nerveuses du nerf sciatique.

Le disque intervertébral: L'amortisseur de pressions.

Les disques intervertébraux comprennent un anneau fibreux, inséré aux rebords des plateaux vertébraux, enfermant en son centre un noyau ovoïde de consistance molle et gélatineuse; le noyau discal. Le noyau discal sert de rotule autour de laquelle les deux plateaux vertébraux peuvent exécuter des mouvements de roulement, dans tous les sens. Le disque joue aussi par l'action combinée de l'anneau et du noyau, le rôle d'un amortisseur de pressions grâce à l'élasticité des lamelles.

Mais avec l'âge, l'anneau fibreux s'altère, se fissure. Alors sous l'influence des pressions excessives que subit le disque, le noyau est refoulé à travers les fissures de l'anneau fibreux et vient exercer une pression contre ses fibres postérieures qui, pourvues de nerfs sensitifs, sont sensibles à la distension: d'où la douleur lombaire. Si la pression est énorme ou encore, si le disque est très détérioré, la pression exercée par le noyau peut rompre les dernières fibres de l'anneau fibreux et faire hernie dans le canal rachidien. C'est alors que le noyau entre en conflit avec la racine nerveuse du sciatique, provoquant la douleur sciatique. Le lumbago, la lumbalgie et la sciatique ne sont que trois aspects différents d'une même maladie: la détérioration structurale du disque.

Les douleurs vertébrales d'origine statique:

Normalement vue de face, la colonne vertébrale est droite, mais il arrive quelques fois qu'elle s'incurve et cette incurvation s'accompagne d'une rotation de la colonne sur son axe; c'est la scoliose.

Par contre il y a l'hyperlordose lombaire lorsque la colonne vertébrale se creuse plus qu'à la normale. Dans l'hyperlordose cervicale, c'est le cou qui se courbe d'une façon plus prononcée.

Lorsque la région des omoplates est arrondie, on parle de cyphose dorsale (dos rond). L'hyperlordose lombaire est son antagoniste: souvent l'une amène l'autre.

Une cyphose dorsale peut aussi s'associer à une scoliose, c'est ce qu'on appelle une cypho-scoliose. Ces cas ne sont pas toujours douloureux mais ils peuvent le devenir parce qu'ils modifient les points d'application des pressions faussant la répartition normale des pressions sur les disques intervertébraux et les articulations* interapophysaires. Les parties des disques qui sont soumises, à des excès de pression en souffrent et se détériorent.

Les douleurs vertébrales d'origine musculaire:

L'affaiblissement des muscles vertébraux favorise les douleurs rachidiennes parce qu'il entraîne souvent un déséquilibre vertébral. Le travail que ces muscles doivent fournir pour maintenir la colonne vertébrale les fatigue et il est source de douleurs.

Les Dorsalgies ''statiques''. Dorsalgie et cyphose dorsale:

Quand une colonne dorsale se courbe vers l'avant, les pesées statiques sont reportées sur la partie antérieure des corps vertébraux et des disques écrasés par des pressions excessives, les disques et les corps vertébraux se détériorent; des lésions de discarthrose se développent alors dans la cavité de la courbure.

Un problème irritant: les dorsalgies bénignes des jeunes femmes.

Chez la grande majorité des femmes qui souffrent du dos, les douleurs ne proviennent pas ni d'une épiphysite, ni d'une arthrose, ni d'une cyphose dorsales. Elles constituent une toute autre catégorie de douleurs vertébrales. Ces femmes ont entre 20 et 35 ans. Elles se plaignent de maux de dos qui se font sentir entre les omoplates, en permanence ou par moments. Il s'agit d'une sorte de courbature douloureuse, parfois aussi d'une sensation de brûlure, qui s'amplifie lors de certaines activités et qui se calme habituellement par le repos en position allongée. Ces douleurs proviennent très souvent d'un état de fatigue et d'anxiété, d'une hypersensibilité nerveuse, résultat complexe d'une médiocre résistance à la fatigue, d'un travail trop fatiguant et d'un moral affaibli par une tendance naturelle au découragement. C'est l'ensemble de ces causes à la fois physiques et morales qui fait qu'un léger problème de la statique dorsale, une banale dorsarthrose ou même une discrète insuffisance musculaire dorsale, suffisent pour rendre douloureux le moindre effort musculaire en station debout ou en position assise.

Les douleurs lombaires:

— La lombalgie

Le "mal de reins" est un symptôme commun pouvant relever de causes diverses. La cause la plus fréquente des douleurs lombaires est la détérioration des disques de la région lombaire dont les affections les plus courantes sont: L'hernie discale lombaire, la discarthrose lombaire, la scoliose et l'hyperlordose lombaire. Elles présentent à peu près toujours un aspect identique: la douleur siège à la partie inférieure de la colonne lombaire, au creux des reins, dans une zone large comme la paume de la main située à la jonction de la colonne vertébrale et du bassin, irradiant souvent de chaque côté, en barre, ou se prolongeant en bas vers le sacrum ou vers les fesses. La souffrance est aggravée par des périodes prolongées en station debout, en position assise.

Les lombalgies discales:

Elles consistent en la détérioration des disques lombaires: La plupart des douleurs lombaires qu'on appelle rhumatismales résultent de la détérioration des disques lombaires. Les plus fréquemment atteints sont les disques L4-L5 et L5-S1. Ce sont en effet, les deux groupes de disques qui travaillent le plus. Les douleurs dues à la détérioration des disques lombaires engendrent soit un lumbago aigu, soit une lombalgie chronique.

Le lumbago: (le tour de rein).

Le lumbago peut se produire spontanément lorsqu'une personne soulève un objet lourd; en voulant se relever, elle s'aperçoit qu'elle ne peut plus le faire, elle se trouve bloquée, comme coincée. Le lumbalgo peut aussi se produire lors d'un simple mouvement du tronc.

La lombalgie chronique, tour de reins, est très répandue. La douleur siège au bas de la colonne lombaire, à la jonction lombo-sacrée et descend vers le sacrum ou vers les fesses.

D'où vient cette douleur et quel est le rôle du disque intervertébral dans ce problème?

Les lombalgies sont la conséquence de la détérioration des disques charnières de la colonne lombaire, détérioration qui entraîne habituellement la migration de la substance gélatineuse du noyau discal.

Le lumbago discal aigu présente un disque détérioré, une fente lézardée. Lorsque le sujet se penche en avant et que la fissure postérieure s'élargit, l'effort de soulèvement provoque l'excès de pression qui chasse une portion du noyau dans la fente béante de l'anneau fibreux discal. Ce noyau au contact des lamelles postérieures de l'anneau, qui sont sensibles, provoque la douleur.

La douleur entraîne une contracture musculaire réflexe qui bloque le fragment du noyau contre les fibres postérieures distendues de l'anneau fibreux. C'est la distension des fibres de l'anneau qui provoque la douleur violente du lumbago.

Les lombalgies d'origine statique:

L'hyperlordose douloureuse est une maladie qui atteint surtout des femmes de 60 ans. L'obésité et le relâchement musculo-ligamentaire projettent l'abdomen vers l'avant. Pour compenser ce déséquilibre, les épaules, le dos s'arquent vers l'arrière accentuant la courbure lombaire, c'est l'hyperlordose.

L'hyperlordose et l'arthrose vertébrale postérieure:

Dans l'arthrose vertébral lombaire postérieure est la conséquence de l'hyperlordose; les lésions arthrosiques atteignent surtout les articulations interapophysaires postérieures entre L4 et L5. Le massif articulaire est hypertrophié, condensé et l'interligne est aminci. Sous l'influence des charges mécaniques excessives, l'apophyse articulaire supérieure de L5 s'affaisse en avant, ce qui entraîne un glissement vers l'avant de la 4ième vertèbre lombaire. Une autre lésion que l'on trouve associée à l'hyperlordose douloureuse de la femme ménopausée, c'est la décalcification des vertèbres.

Trois causes inévitables reliées à la post-ménopause sont à l'origine de ses trois problèmes essentiels presque toujours associés à cette période de la vie à savoir: Le relâchement musculaire et ligamentaire, qui explique l'hyperlordose et l'arthrose vertébrale postérieure qui en résulte, la mauvaise combustion des graisses, qui entraîne l'obésité et la paresse des cellules édificatrices de l'os qui provoque sa décalcification et l'absence d'hormones sexuelles ainsi que le vieillissement des tissus.

Les lombalgies et les scolioses:

La plupart des scolioses lombaires n'entraînent aucune douleur. Quelques-unes, cependant, deviennent douloureuses. Quand une scoliose s'est produite au cours de l'adolescence, il arrive parfois qu'après un certain nombre d'années, vers 30 ou 35 ans, la scoliose devienne douloureuse sans raison ou à la suite d'un choc ou d'une chute. Elle provoque alors une lombalgie de fatigue, c'est d'ailleurs à cette occasion que souvent la scoliose est découverte. Dans une colonne scoliotique, c'est la concavité des courbures qui accumule les pesées statiques. Écrasés par cet excès de pression, les disques et les articulations postérieures, se détériorent et de l'arthrose s'y installe. Les scolioses des adultes ne s'aggravent presque jamais. Par contre, les douleurs qu'elles peuvent entraîner sont souvent tenaces.

Les lombalgies ''symptomatiques''

Une lombalgie ''rhumatismal'': Un jeune homme entre 20 et 30 ans, se plaint depuis plusieurs années de douleurs et de raideurs surtout le matin; souvent, cette lombalgie s'accompagne ou s'est accompagnée de douleurs sciatiques très spéciales; une sciatique bilatérale ou à bascule à droite ou à gauche; il éprouve également des douleurs dans les côtes et dans la poitrine; lorsque la lombalgie tenace se fait sentir la nuit, on peut alors penser qu'il s'agit de pelvi-spondylite rhumatismale.

Une lombalgie ''métabolique'': La lombalgie révélatrice d'une décalcification vertébrale ''Ostéoporose et ostéomalacie.''

Une femme âgée, souffre de partout mais surtout de la colonne vertébrale. Souvent elle a l'impression que sa colonne se tasse, parfois à la suite d'un accès de toux, elle ressent dans la région lombaire, une violente douleur, qui l'a cloué sur place atteignant surtout la colonne vertébrale et le bassin. L'examen révèle une colonne très décalcifiée dans son ensemble. Il s'agit d'une lombalgie révélant une décalcification vertébrale.

Voyons maintenant deux variétés de décalcification douloureuse:

L'ostéoporose:

L'ostéoporose est un ralentissement de la construction osseuse. Dans l'ostéoporose, le corps ne construit plus l'os et les cellules osseuses ne construisent plus la charpente albumineuse nécessaire à la formation de l'os, puisque c'est sur cette charpente que le calcium se fixera pour en faire la trame osseuse.

La cause physiologique de l'ostéoporose est la carence, le manque d'oestrogène et de progestérone, hormones sexuelles nécessaires qui interviennent dans l'édification du tissu osseux.

L'ostéomalacie:

L'ostéomalacie est un problème causé par un manque de calcium, ou une mauvaise absorption de ce dernier qui peut être remédié par l'apport de vitamine D. Les ostéomalaciques manquent réellement de calcium, ils édifient normalement les travées albumineuses qui forment la charpente de l'os, mais à cause de cette carence, cette charpente ne se calcifie pas.

On détecte cette maladie par l'analyse du sang et de l'urine. Même si l'on administre du calcium et de la vitamine D en abondance à un ostéomalacique, le calcium n'augmente pas dans les urines, comme cela se produit toujours chez le sujet normal parce que le calcium ingéré est immédiatement fixé sur la charpente osseuse non calcifiée qui est avide de calcium.

Il existe des formes mixtes, où l'ostéoporose s'associe à l'ostéomalacie, donnant ce que l'on appelle l'ostéoporomalcie.

Beaucoup de femmes souffrent à la fois d'ostéoporose et d'ostéomalacie, c'est-à-dire qu'elles ont à la fois une insuffisance de la construction osseuse (ostéoporose) et un manque de calcium (ostéomalacie).

La cervico-brachialgie:

La cervico-brachialgie, douleur qui atteint le cou et le bras est un processus analogue sinon identique à celui de la sciatique.

Une pénible douleur descendant du cou vers l'épaule et le bras. La douleur part du cou, parcourt l'épaule, le bras, l'avant-bras, et se termine dans un ou plusieurs doigts. On y observe des lésions d'arthrose cervicales ou (cervicarthrose) qui se manifestent par un affaissement discal, *ostéophytes hérissant le pourtour des plateaux vertébraux. Tantôt ces arthroses n'atteignent qu'un seul disque, habituellement celui qui sépare la cinquième de la sixième vertèbre cervicale. Il est probable que ces arthroses irritent les racines nerveuses.

Les acroparesthésies du membre supérieur:

L'acroparesthésie est le nom donné aux sensations anormales telles que: les engourdissements, les fourmillements, les picotements aux extrémités des membres, aux mains et aux doigts. Ce n'est pas une maladie qui évolue vers la paralysie mais c'est probablement une maladie liée à une compression nerveuse. Les impatiences dans les jambes font encore partie du groupe des paresthésies rhumatismales, il s'agit de sensations désagréables dans un membre inférieur plus souvent, dans les deux jambes. Ce phénomène survient la nuit. C'est une sorte d'agacement mal localisé qui force la personne à bouger la jambe. Souvent les impatiences augmentent dans les périodes de fatigue et de nervosité.

Les rhumatismes articulaires inflammatoires.

— Les arthrites rhumatismales:

Les arthrites rhumatismales ont pour lésion primitive une inflammation de la membrane synoviale articulaire; ce sont des arthro-synovites inflammatoires. D'abord localisée, l'inflammation peut atteindre ensuite les autres parties de l'articulation c'est-à-dire l'os et les cartilages. Les signes de l'inflammation sont la douleur, l'oedème, l'augmentation de la chaleur locale et, si l'inflammation est vive, la rougeur de la région affectée.

— Rhumatisme articulaire aigu ou maladie de Bouillaud:

Caractères locaux:

Chaque atteinte articulaire se présente comme une arthrite aiguë avec tous les signes de l'inflammation: douleurs spontanées, exagérées par la mobilisation, chaleur locale augmentée, rougeur nette ou discrète, tuméfaction modérée ou absente.

Caractères généraux:

Les lésions atteignent les grosses jointures telles que les genoux, les chevilles, les poignets mais aussi les petites articulations comme celles des doigts, des orteils et de la colonne vertébrale.

caractères:

La mobilité des atteintes articulaires est la meilleure caractéristique de la maladie de Bouillaud. La "fluxion" passe en quelques heures d'une articulation à une autre, sans ordre. L'inflammation disparaît très vite et complètement, sans séquelles. Deux signes généraux sont spécifiques à la maladie de Bouillaud: les sueurs abondantes d'odeur aigrelette et la pâleur des téguments sans anémie très marquée.

1- *La péricardite rhumatismale qui est souvent associée à la maladie de Bouillaud, s'annonce souvent par des douleurs thoraciques ou anginoïdes, très suggestives chez l'enfant. Le frottement péricardique le confirme.

2- *L'endocardite, l'atteinte la plus fréquente et la plus grave provient de l'insuffisance aortique et du rétrécissement mitral.

Le rhumatisme articulaire aigu peut aussi toucher d'autres viscères que le coeur. Il peut provoquer des manifestations pleuro-pulmonaires telles que la pleurésie rhumatismale, l'oedème aigu du poumon et la congestion pulmonaire. Des manifestations cutanées comme des troubles hypodermiques qui sont des érythèmes particuliers peuvent apparaître de même que une inflammation de la thyroïde.

La polyarthrite rhumatoïde:

La polyarthrite rhumatoïde est la forme la plus commune du groupe des rhumatismes chroniques inflammatoires qui comprend la spondylarthrite ankylosante et le rhumatisme psoriasique.

Début typique:

Il atteint une femme d'âge moyen et se manifeste par un oedème douloureux progressif, tantôt lent, tantôt rapide, des petites articulations des doigts, plus précisément des métacarpophalangiennes et des interphalangiennes proximales des index et des majeurs. Ces symptômes sont fixés et persistants.

Début atypique:

La polyarthrite rhumatoïde peut commencer par n'importe quelle jointure: épaule, poignet, genou, cheville, pied. Les débuts atypiques se voient surtout chez l'homme. Les signes sont:

La prédominance nocturne (fin de la nuit) ou matinale des douleurs. Le "dérouillage" matinal dure de une à trois heures. On note un oedème, un épaississement plus ou moins palpable de la synoviale, qui est plus douloureuse à la pression que les surfaces osseuses, de la fièvre mais c'est l'accélération de la vitesse de sédimentation qui donne le signal d'alarme.

La polyarthrite évolue par poussées mais avec les années, la fibrose se mêle à l'inflammation de la synoviale, ce qui aboutit à une limitation de plus en plus grande de la mobilité des articulations touchées.

Formes cliniques:

Certaines polyarthrites sont précédées de poussées régressives. Certaines ne touchent que très peu de jointures, ce sont des oligo-arthrites inflammatoires. Chez l'homme, la polyarthrite est atypique, asymétrique, et elle est moins grave que celle de la femme. Chez l'enfant, la polyarthrite est soit analogue à celle de l'adulte, soit particulière, par l'inturmescence associée des groupes ganglionnaires et de la rate.

La spondilarthrite ankylosante:

C'est un rhumatisme inflammatoire chronique touchant électivement les articulations sacro-iliaques et la colonne vertébrale ainsi que les articulations des membres.

C'est une maladie qui atteint l'homme entre 20 et 30 ans. Dans cette maladie, toutes les vertèbres se soudent entre elles et forment une colonne osseuse rigide. Les articulations sacro-iliaques et les articulations des hanches sont ossifiées. Au terme de son évolution, la maladie a réuni en un seul bloc osseux toutes les vertèbres et tous les os du bassin et du fémur.

Chez la plupart des malades atteints de "rhumatisme vertébral", la douleur est en rapport avec une altération des disques intervertébraux. Les disques vieillissent vite. Leur détérioration structurale commence par le noyau qui perd une partie de son eau, en d'autres termes il se déshydrate. En même temps il se laisse envahir par des proliférations de tissu fibreux ou cartilagineux, parfois même il se fragmente.

La goutte:

La goutte est une maladie qui se manifeste de deux façons: d'abord par des arthrites inflammatoires évoluant sous forme d'accès d'une extrême violence puis par des dépôts d'acide urique se fixant à différents endroits de l'organisme, mais surtout dans les jointures. C'est une maladie de l'homme, souvent héréditaire. Une anomalie héréditaire, en effet paraît indispensable à l'éclosion de la goutte. On croit que cette anomalie est causée par la présence d'acide urique dans le sang (hyperuricémie).

L'accès de goutte:

Une inflammation douloureuse du gros orteil est facile à diagnostiquer. L'articulation de la racine du gros orteil est tuméfiée, chaude, rouge et prend parfois l'aspect d'un abcès, bien que cette caractéristique ne soit pas toujours présente.

Les crises suivantes peuvent atteindre d'autres jointures: d'abord les articulations des pieds, les tendons d'Achille, les chevilles, les genoux: plus tard ce sont les articulations des doigts, des poignets, des coudes qui sont atteintes. On trouvera donc des crises d'aspects très divers, une fois ici, un oedème rouge et douloureux au dos du pied, là une inflammation du tendon d'Achille. Mais on retrouve toujours les trois particularités de l'inflammation goutteuse, à savoir: Une apparition brusque de l'inflammation, une intensité des phénomènes inflammatoires, oedème très marqué, douleur intense et rougeur vive. Une fois la crise terminée, les articulations retrouvent leur état normal.

La goutte polyarticulaire:

Il arrive que la goutte aiguë, au lieu de n'atteindre qu'une jointure à la fois en atteigne deux, trois et même davantage, tantôt simultanément. Ce phénomène toutefois, survient rarement à la première crise, mais est très fréquent lors de crises ultérieures.

À la longue, l'acide urique se dépose dans les tissus sous forme d'urates qui sont des précipitations uratiques. À mesure que le malade avance en âge, le stock d'acide urique accumulé dans l'organisme augmente jusqu'au jour où l'acide urique, qui a saturé les humeurs et le sang commence à se déposer dans les différents tissus. Dans les articulations, les précipitations d'urates, appelées ''tophi'' se forment sous la peau, tandis que dans les reins, l'acide urique prend la forme de calculs et d'incrustations uratique donnant le ''rein goutteux''.

Le thophus:

C'est un dépôt d'acide urique visible sous la peau, et souvent reconnaissable à sa coloration blanchâtre. Les oreilles, les pieds, les mains, la face postérieure des coudes sont les lieux de prédilection de ces concrétions tophacées. Aux oreilles, les tophi s'enchâssent dans le cartilage sous forme de petites boules blanchâtre de la taille d'un grain de riz ou d'un pois.

Derrière les coudes, les tophi ressemblent à une sorte de tumeur. Ailleurs, les tophi forment des bosselures irrégulières, à la racine du gros orteil, au dos du pied, au tendon d'Achille, au talon, aux pourtours des jointures des doigts, au dos du poignet. Les tophi sont dangereux parce qu'ils peuvent s'enflammer et s'ulcérer et parce qu'ils traduisent une forte surcharge d'acide urique dans les tissus. Ils doivent donc faire craindre l'apparition des arthropathies uratiques suppurantes. En conclusion, le terme de ''rhumatisme infectieux'' s'applique seulement au cas où le microbe agissant sur une jointure y détermine une inflammation qui n'aboutit pas à la suppuration, à cause de la faiblesse du terrain (corps).

Les arthralgies:

Les arthralgies sont des douleurs articulaires mobiles sans signes objectifs. Les arthralgies représentent sans doute la forme de rhumatisme la plus sensible aux influences du climat et du temps. Même si les douleurs sont tenaces, il n'y a aucun danger que la maladie s'aggrave et produisent des déformations. Les arthralgies rhumatismales peuvent être des séquelles du rhumatisme articulaire aigu. Les goutteux souffrent parfois d'arthralgies fugaces sans signes objectifs. Il y a également des sujets qui à cause de leur taux élevé d'acide urique dans le sang sont souvent sujet à présenter des douleurs articulaires mobiles et passagères.

Arthralgies de la ménopause:

Aux environs de la cinquantaine, les femmes éprouvent souvent des douleurs articulaires. Ces arthralgies peuvent être isolées. Assez souvent cependant les femmes qui en souffrent se plaignent aussi de problèmes reliés à la cessation des règles: nervosité, bouffées de chaleur. La nuit elles peuvent avoir des fourmillements dans les mains, des nodosités d'Herberden, des douleurs au bas des reins en rapport avec des lésions d'arthrose lombaire, une arthrose des genoux.

Les rhumatismes péri-articulaires:

Les rhumatismes des tendons, des gaines tendineuses des bourses séreuses et des aponévroses sont des rhumatismes dont les légions siègent autour des jointures et non pas les articulations elles-mêmes. Le rhumatisme de l'épaule, il s'agit d'une douleur gênante mais supportable; on parle alors d'épaules douloureuses. La douleur de l'épaule n'apparaît qu'à l'occasion de certains mouvements, comme lorsque la main se porte à la poche arrière du pantalon. Le malade souffre aussi la nuit quand il se couche sur l'épaule affectée. L'épaule n'est pas ankylosée et l'évolution est variable.

L'épaule douloureuse simple paraît liée, dans la majorité des cas, à des lésions dégénératives portant sur les tendons qui forment la coiffe tendineuse des rotateurs de l'épaule. À moins de s'enflammer à l'occasion d'un effort ou d'une fatigue, dans la majorité des cas, ces lésions restent silencieuses, ne donnant lieu à aucun symptôme.

L'épaule douloureuse aiguë ou tendinite ou tendino-bursite aiguë est une inflammation vive des tendons de l'épaule causée soit par une inflammation des tissus de glissement qui enveloppent l'épaule, soit par une inflammation des tendons qui se propageraient à la bourse qui les recouvre.

L'épaule bloquée: la capsulite rétractile, consiste en la rétraction de la capsule articulaire. À l'état normal, la capsule articulaire, qui unit la tête humérale à la cavité glénoïde de l'omoplate, est lâche, souple et élastique, particulièrement dans sa partie inférieure; en se dépliant et en s'étirant, elle permet au bras de s'écarter du corps (abduction). Dans l'épaule bloquée, la capsule s'est épaissie, indurée et rétracté, formant une corde rigide et inextensible empêchant l'abduction du bras.

L'épicondylite du coude:

Elle ne serait en réalité qu'une tendinite du coude. Dans l'épicondylite, la douleur siège à la face externe du coude, à la naissance des muscles dits épicondyliens qui recouvrent la face postéro-externe de l'avant-bras. C'est une douleur aggravée ou déclenchée par certains gestes qui s'accompagnent d'une torsion de l'avant-bras. L'épicondylite abandonnée à elle-même peut durer des mois.

La tendino-synovite de l'abducteur du pouce:

La tendino-synovite est l'inflammation du tendon du long abducteur du pouce qui croise l'apophyse styloïde du radius, ce tendon entouré d'une gaine synoviale qui peut devenir enflammé en frottant sur l'os. C'est cette inflammation qui est la cause de la douleur, la tendino-synovite est appelée aussi maladie "d'inervain."

Le kyste synovial du poignet:

Il consiste en une bosse de la taille d'une noisette ou d'une cerise, molle ou d'une fermeté élastique, qui devient plus volumineuse lors de la flexion du poignet. Le kyste est une sorte de sac, à parois très minces, rempli d'un liquide épais, translucide, presque gélatineux.

L'inflammation du genou:

Lorsque la bourse séreuse située à la face antérieure du genou devient enflammée, elle s'épaissit et se remplit d'une sérosité plus ou moins visqueuse.

L'inflammation du talon:

C'est une sorte d'éperon qui se développe à la partie inférieure du calcanéum. L'épine de Lenoir se développe aux points d'insertion des fibres du ligament plantaire. Des tractions excessives peuvent provoquer une inflammation locale; l'os réagit alors à cette inflammation produisant ainsi l'épine de Lenoir, la tendinite et la bursite achilléennes qui est une douleur derrière le talon. Les douleurs postérieures du talon sont dues soit à une inflammation de l'extrémité inférieure du tendon d'Achille (tendinite), soit à une inflammation de la bourse séreuse ou bursite située entre la face antérieure du tendon et le calcanéum.

CONCLUSION

"Il n'y a rien que les hommes aiment mieux à conserver et qu'ils ménagent moins que leur propre vie".

La Bruyère.

Nous ne conseillons jamais à un arthritique, un rhumatisant ou tout autre individu souffrant de maladies analogues, de se soigner lui-même. Ces affections sont graves et présentent un caractère particulier. Seul un praticien expérimenté, formé aux méthodes naturelles de santé, peut envisager la situation dans son véritable contexte et offrir au malade les meilleures conditions possibles de guérison.

Les notions contenues dans cet ouvrage demeurent néanmoins très valables; elles constituent la base de tout traitement efficace de l'arthritisme. Elles doivent cependant être individualisées selon l'état de chacun, si l'on veut en tirer tout le bénéfice possible.

Le lecteur attentif aura remarqué que tous les conseils donnés ici sont simples et réalistes. Si je prétends que les manifestations arthritiques peuvent se guérir, je n'offre pas cependant de thérapeutiques miracles. La méthode que je propose, repose essentiellement sur l'observation des grandes lois de la vie. J'estime qu'il suffit de respecter les règles de vie naturelles pour recouvrer et conserver sa santé physique, psychologique et spirituelle.

De telles prétentions semblent souvent trop fantastiques pour être vraies. À tous ceux qui doutent des possibilités des facteurs naturels de santé et de la naturopathie, je leur recommande d'étudier et d'expérimenter sérieusement ce mode de vie.

Il est normal de douter, mais il faut aller au-delà du doute et expérimenter honnêtement, avant de sauter aux conclusions.

À tous ceux qui souffrent, je dis que la guérison est à leur porte s'ils veulent bien se donner la peine d'utiliser les bons moyens pour y parvenir. À l'exception de certains cas devenus irrémédiables par une trop grande détérioration organique, on peut retrouver la santé. Pour cela il faut et il suffit d'agir correctement.

L'expérience et les résultats obtenus dans le traitement de l'arthrite, du rhumatisme, de la goutte; me permettent de croire que le contenu de cet ouvrage apporte une solution des plus valables à ce fléau.

Yvan LABELLE, N.D. Avril 1987.

GLOSSAIRE

ACIDE OXALIQUE: l'acide oxalique existe sous forme d'oxalates.

ALBUMINE: (matières albuminoïdes) sous ce terme, on regroupe un grand nombre de substances d'origine animale ou végétale qui sont essentiellement composées de carbone, d'oxygène, d'azote, d'hydrogène et de traces de soufre.

ALCALOSE SANGUINE: état causé par une augmentation de la réserve alcaline du plasma sanguin.

ANKYLOSE ARTICULAIRE: diminution ou impossibilité des mouvements d'une articulation naturellement mobile.

ARTHRALGIE: douleur articulaire.

AVITAMINOSE C: maladie causée exclusivement par l'insuffisance ou l'absence de vitamine C.

BASE XANTHIQUE: c'est une substance acide que l'on retrouve dans le café, le thé et le chocolat. Selon Trémolières, cette base ferait sortir l'insuline du pancréas.

BURSITE: Inflammation de la bourse séreuse (bourse d'un tendon ou d'un muscle.)

CATALYSEUR: déclencheur de réactions.

CHOLESTÉRINE: (cholestérol) stérol se présentant sous forme de cristaux blancs nacrés découvert dans les calculs biliaires; dans la bile et dans la plupart des humeurs de l'organisme, le sang en particulier où il se trouve soit libre, soit combiné à des acides gras.

CYPHOSE DORSALE: déviation de la colonne vertébrale avec convexité postérieure.

DÉCALCIFICATION: déperdition de calcium dans l'organisme par élimination des sels de calcium.

DÉCALCIFICATION ÉPIPHYSAIRE: c'est une décalcification se produisant dans le cartilage réunissant l'épiphyse et la diaphyse des os longs.

DIATHÈSE: disposition de l'organisme qui produit chez l'individu un mode particulier de nutrition.

DORSARTHROSE: arthrose de la colonne vertébrale irradiant dans les muscles.

DYSTROPHIE: trouble de la nutrition aboutissant à l'atrophie ou à l'hypertrophie d'un groupe plus ou moins important de muscles ou d'organes.

ENDOCARDITE: inflammation de la membrane tapissant les cavités du coeur.

ÉPINE IRRITANTE: prolongement saillant d'un os irrité.

ÉPIPHYSITE: inflammation limitée à une épiphyse osseuse: l'épiphysite vertébrale douloureuse de l'adolescence se traduit par une douleur de la région dorso-lombaire, une légère raideur du rachis, une douleur à la pression des apophyses postérieures, qui peut faire penser à un mal de Pott au début.

FÉMUR: os long de la cuisse.

GÉODE: cavité pathologique creusée dans un tissu: os, poumon.

HYDRATES DE CARBONE (ou Glucides): glucose contenu dans les aliments.

HYPÉRÉMIQUE: (l'hypérémie): afflux excessif de sang dans un organe ou congestion.

HYPERLORDOSE: courbure anormale de la colonne vertébrale lombaire ou dorso-lombaire, à concavité postérieure.

HYPOCALCÉMIE: faible taux de calcium dans le sang.

LÉSION D'OSTÉOSE: (ostéite) inflammation d'un os.

MYOCARDITE: inflammation du muscle qui constitue la majeure partie de la paroi du coeur (myocarde).

NUCLÉINES: substances azotées contenant 4% de phosphore et se présentant sous forme de poudres amorphes très peu solubles dans l'eau.

OSTÉITE: inflammation d'un os.

OSTÉO-ARTICULAIRE: trouble qui relie un os et une articulation.

OSTÉOMALACIE: décalcification des os d'origine minérale.

OSTÉOPHYTE: formation osseuse qui se développe dans une articulation atteinte d'arthrose aux dépens du périoste ou d'un ligament.

OSTÉOPOROSE: variété de décalcification dans laquelle l'osséine de la trame protéique est altérée, le calcium et le phosphore ne pouvant plus se fixer.

PÉRICARDITE RHUMATISMALE: inflammation de l'enveloppe du coeur (péricarde).

PÉRIOSTITE: inflammation aiguë ou chronique du périoste.

PÉRIOSTOSE: lésion non inflammatoire de la membrane de tissu conjonctif qui couvre les os (périoste).

PÉRONÉ: os long, de forme prismatique, triangulaire situé en dehors du tibia, avec lequel il forme le squelette de la jambe.

PRÉCARENCE: état de déficience en divers éléments essentiels à la santé avant que ne s'installe la maladie.

PRÉCORDIALE: (douleurs) situé au devant du coeur.

RARÉFACTION OSSEUSE: diminution de la densité de l'os.

SAPHROPHYTES: parasite ou microbe qui se nourrit aux dépens de matières organiques en décomposition.

SCOLIOSE: déformation de la colonne vertébrale entraînant une courbure latérale à gauche ou à droite.

SCORBUT: maladie de carence, provoquée par l'absence ou l'insuffisance de vitamine C dans l'alimentation et caractérisée par des troubles divers: fièvre, anémie, hémorragie, gastro-entérite, ou même cachexie.

STASE INTESTINAL: arrêt ou ralentissement considérable dans la circulation du sang, ou l'écoulement d'un liquide organique.

TÊTE FEMORALE: dépression rugueuse destinée à l'insertion du ligament rond de l'articulation de la hanche.

TIBIA: os long pair, situé à la partie antéro-interne de la jambe, en dedans du péroné avec lequel il s'articule à ses deux extrémités.

URATES DE SOUDE: sels d'acide urique.

URATIQUE: qui présente un taux trop élevé d'acide urique.

URÉE: produit final de la dégradation des protéines, présent dans le sang et devant être éliminé par les reins.

BIBLIOGRAPHIE

AIROLA, P.O., N.D., 1968 "There Is A Cure For Arthritis" Parker Publishing Company, Inc. 200 pages.

AIROLA, P.O. N.D., 1979 "Every Woman's Book" Health plus Publishers Arizona. 638 pages.

ARON, J. 1950 "Contribution à l'étude biologique de l'acide ascorbique".

ASCHNER, B. M.D. 1971 "Arthritis Can Be Cured" Arc Books, Inc. New-York. 233 pages.

BARBEAU, R. ND. 1972 "La cause inconnue des maladies" Clinique Bardeau Montréal. 411 pages.

BARTON-WRIGHT, E.C. Docteur, 1973 "L'Arthritis" E.C. Barton-Wright.

BARTZ, F. R. KLENNER, M.D. 1971 "The Key To Good Health Vitamine C" Graphic Arts Research Foundation, Chicago. 96 pages.

BAUMGARTNER, P. 1937 "À propos des manifestations hépato-biliaires chez les rhumatisants chroniques."

BEASSE, A. 1936 "L'acide ascorbique et son rôle en thérapeutique".

BECKER, E. Kinésithérapeute, 1970 "Le traitement des scolioses et des discopathies par des tensions isométriques". Presses académiques européennes, Bruxelles.

BÈGUE, J. A. M. FERNAND-JAYLE 1975 "La réaction métabolique" Presses universitaires de France. 120 pages.

BELLANGER, J.L. 1972 "Médecine préventive" Éditions Solar, Paris. 382 pages.

BERGERET, D. M. TÉTAU 1973 "L'organothérapie", Librairie Maloine, Paris. 240 pages.

BIRCHER-BENNER 1959 "Rhumatisme et arthritisme" Éditions Victor Attinger s.a., Neûchâtel et Paris.

BLAND, J.H. M.D. 1962 "Arthritis Medical Treatment And Home Care" First collier Books Edition. 212 pages.

CARTON, P. 1942 "Les trois aliments meurtriers" Librairie Le François, Paris. 76 pages.

CARTON, P. 1951 "Les lois de la vie sainte" Librairie Le François, Paris, 224 pages.

CHAUCHARD, P. 1966 "Une morale des médicaments" Éditions Le Signe Fayard, Paris. 297 pages.

CHERASKIN E., N.D. D. M. D. W.M. RINGSDORF JR, D.M.D. M.S. 1971" "An Arc Books New york.

CHUC, ROGELIS 1935 "Fixation et élimination de la vitamine C", Vigné Paris.

CLÉMENT, H. 1973 "Self-Treatment For Hernia" Thorsons Publishers Denigton Estate. 63 pages.

COLLIN, H.-DONG, M.D. J. BANKS 1975 "New Hope For The Arthritic Ballantine Books, New york. 241 pages.

CORRIGAN, A. B. -Docteur 1971 "Living With Arthritis" Grosset et Dunlap, New York.

COSTE, F. 1966 "Le rhumatisme" Presses universitaires de France. 135 pages.

COSTE, F. 1972 "Les maladies du squelette" Presses universitaires de France. 126 pages.

COTEREAU, H.Y. 1947 "Contribution à l'étude des rapports entre l'acide ascorbique et la vitamine B2 (vitamine P) Éditions Maloine, Paris.

CRITZMAN, D. "La goutte, son mécanisme et son traitement" G. Doin Paris.

CRUDDEN H. MC F. 1937 "Uric Acid" "The Chemistry, Physiology And Pathology Of Uric Acid.

DANECHVAR, A. 1939 "Les altérations du squelette au cours des avitaminoses C" Éditions M. Vigné, Paris.

DARREL, C CRAIN, M.D. F.A.C.P. 1972 "The Arthritis Handbook", Arc Book Inc, New York. 220 pages.

DAVID, M. P. GUILLY 1970 "La Neurochirurgie" Presses universitaires de France, Paris. 126 pages.

DERMEYER, J. 1969 "Protégez et fortifiez vos vertèbres" La diffusion nouvelle du livre, Soissons.

DERMEYER, J. 1972 "La santé par l'eau de mer" Éditions La diffusion nouvelle du livre, Soissons.

DU RUISSEAU, J.P. 1973 "La mort lente par le sucre" Éditions du jour 203 pages.

DE SAMBUCY, A Docteur. 1956 "Défendez vos vertèbres" Éditions Dangles, Paris. 220 pages.

DE SAMBUCY A J.J. LANBRY 1960 "Nouveau traitement du rhumatisme" Éditions Dangles, Paris. 319 pages.

DE SAMBUCY A. 1960 "Nouvelle médecine vertébrale" Éditions Dangles, Paris. 357 pages.

DE SAMBUCY A. 1967 "L'espalier suédois" Éditions Dangles, Paris. 242 pages.

DE SAMBUCY A. 1971 "Après la crise que peut faire un rhumatisant grave?" Éditions Dangles, Paris. 221 pages.

DE SAMBUCY, A. Docteur. 1972 "Traité de massage vertébral familial" Éditions Dangles, Paris. 328 pages.

DE SAMBUCY, A. 1973 "Gymnastique corrective vertébrale" Éditions Dangles, Paris.

DE SEZE, A. A. RYCKEWAERT 1964 "Ces rhumatismes dont on parle" Librairie Hachette. 397 pages.

DE SEZE, S. A. DJIAN. M. MAÎTRE. 1968 "Savoir interpréter une radiographie vertébrale" Éditeur De Vissher Albert Bruxelles. 127 pages.

DEXTREIT, R. 1959 "Espoir pour les arthritiques et rhumatisants" Éditions de la revue "Vivre en harmonie", Paris 95 pages.

DEXTREIT, R. 1960 "La cure végétale" Éditions de la revue "Vivre en Harmonie", Paris 111 pages.

DEXTREIT, R. 1963 "La colonne vertébrale des petits et des grands" Éditions de la revue "Vivre en Harmonie", Paris 71 pages.

DEXTREIT, R. 1969 "L'argile qui guérit" Éditions de la revue "Vivre en harmonie", Paris 108 pages.

DEXTREIT, R. JEANNETTE 1969 "Des recettes, des menus favorables pour arthrite, rhumatisme, décalcification" Éditions de la revue "Vivre en harmonie", Paris 47 pages.

DESPROGES-GOTTERON, R. Professeur 1970 "Guide du rhumatisant" Éditions Charles Massin. 158 pages.

ELTON SIDES 1972 "Why Suffer Needless Arthritis And Bursitis Pains?" Fourth Edition. 24 pages.

ÉPARVIER, J. 1962 "La tête et la colonne vertébrale" Librairie Hachette, Paris 200 pages.

FAVIER, J. 1951 "Équilibre minéral et santé" Éditions Dangles, Paris. 337 pages.

FICHEUX, J.M. 1940 "Contribution à l'étude clinique du pouvoir cicatrisant des vitamines A et D associées à la chlorophylle".

GASSETTE, G. 1947 "La santé" Éditions Astra, Paris. 332 pages.

GREEN, HAROLD D. "Effect Of The Xanthines".

HEARNE, E. 1968 "Vous avez l'âge de vos vertèbres" Éditions Denoël, Paris. 188 pages.

HINGLOIS, H. M. "Carence calcique et régime alimentaire, phosphore, calcium, vitamine D.

JARVIS, D. C. M.D. 1963 "Arthritisme et vieux remèdes" Robert Laffont, Paris. 255 pages.

JILLURT G.A. MD. "A Textbook On Uric Acid And Its Congeners" Dan Hury Medical Printing Company.

JOHN M. ELLIS M.D. J. PRESLEY 1967 "Vitamin B6, The Doctor's Report" Publishers et Row. 243 pages. (New York).

JOIFFON, R. "Étude chimique de l'équilibre acide-base par l'analyse d'urine".

KENNET, H.C. HUTCHIN, M.D. 1962 "Slipped Discs" Arc Books, Inc. 94 pages.

KERVRAN, C.L. 1966 "À la découverte des transmutations biologiques" Éditions Le courrier du livre 21, rue de Seine, Paris. 189 pages.

KERVRAN, C.L. 1966 "Transmutations naturelles non radioactives" Éditions Maloine, Paris. 164 pages.

KERVRAN, C.L. 1968 "Transmutations biologiques" Éditions Maloine, Paris 231 pages.

KERVRAN, C.L. 1970 "Transmutations biologiques en agronomie" Librairie Maloine, Paris.

KOHLRAUSCH, W. Professeur 1969 "Gymnastique du rhumatisant" Librairie Maloine, Paris s.a. 82 pages.

KUHNE, L. 1956 "La nouvelle science de guérir" Les éditions Amour et Vie, Autricourt, 555 pages.

LACROIX, R. Docteur. 1968 "Savoir respirer pour mieux vivre" Éditions Dangles, Paris 178 pages.

LEITINEN, O. 1967 "The Metabolism Of Collagen And Its Hormonal Control In The Rat".

LARUE, S. LAWRENCE E. LAMB. M.D. 1971 (There's Help For Arthritis) Popular Library, New York 221 pages.

LAW, D. 1969 "How To Defeast Rheumatism And Arthritis" Health Science Press 63 pages.

LERICHE, R. 1939 "Physiologie et pathologie du tissu osseux" Éditions Masson, Paris 455 pages.

LEVISON, C. 1974 "Les trusts du médicament" Éditions du Seuil, Paris 159 pages.

LOVELL, M. Philip, Docteur 1964 "Arthritis" Natural Health Publications, Newport Beach; Ca. 92660 58 pages.

MALCOLM, I V. JAYSON-ALLAN ST J. DIXON 1956 "Rhumatism And Arthrits" Pan Books, LTD, London and Sydney. 288 pages.

MANGENOT, M.H. 1938 "Les lésions ostéo-périostiques classiques" Jaurie et cie, Paris.

MÉNÉTRIER, J. 1954 "La Médecine fonctionnelle".

MIRKIN, G. M. HOFFMAN 1978 "La médecine sportive" Les Éditions de L'Homme, Montréal. 322 pages.

MOURIQUAND, G. "Ostéopathie par avitaminose C chronique et syndrome rhumatisme ankylosant".

PETERSON C. 1973 "Réponse à l'arthrite" Éditions Paulines, Sherbrooke Québec, Canada. 165 pages.

PETIT, J R. 1945 "Contribution à l'étude de l'ostéose de carence du rachis "R. Manlon Paris.

PETREMENT, B. Pharmacien "Les équisétacées médicinales" Société Belge de phytothérapie.

PICARD, H. Docteur 1969 "De la cause au traitement des rhumatismes" Librairie Maloine Paris 200 pages.

PICARD, H. 1971 "Utilisation thérapeutique des oligo-éléments" Librairie Maloine Paris 180 pages.

PICARD, H. A. ANTONINI Docteurs 1971 "Traitement médical étiologique de la coxarthrose", Librairie Maloine, Paris.

PREPARED BY EDITORS OF PREVENTION MAGAZINE 1973 By Rodale Press Inc. "Vitamine A Everyone's Basic Bodyguard 130 pages.

RASMUS, A M.D. 1966 "Victory Over Arthritis" Edited by Groton Press, Inc, New York 200 pages.

RODALE, J.I - STAFF 1968 "The Health Seeker" Rodale Books, Inc, Emmaus, Penna. 928 pages.

RODALE, J.I. 1970 "Encyclopédia Of Common Diseases" Rodale Books, Inc. Emmaus, Penna. 992 pages.

RODALE, J.I. 1974 "Arthritis, Rheumatism, Rodale Press, Inc (Emmaus Penna) 285 pages.

ROEDERER, C.R. LEDENT 1951 "La pratique des déviations vertébrales" Éditions G. Doin et Cie, Paris.

ROHMER, P. 1948 "Actualité de médecine infantile".

RUDOLPH, T.M., Docteur, 1954 "Banish Arthritis" Health Guild Publishing Compagny, 19 pages.

RUFFIER, J.E. Docteur, 1960 "Ce qui guérit par l'exercice (Arthritisme) Éditions Bornemann, Paris, 79 pars.

RUFFIER, J.E. Docteur, 1967 "Soyons forts" Éditions Dangles, Paris, 166 pages.

RUTH, A. F. MURRAY 1972 "Vitamine C" Manor Books Inc; New York, 191 pages.

RUTH, A. F. MURRAY 1972 "Vitamine C" Larchmont Press, New York.

RYCKEWAERT, A. S. DE SEZE "La goutte" Expansion scientifique française, Paris.

SCHMITT, H ., 1957 "Éléments de Pharmacologie" Éditions médicales, Flammarion, Paris 377 pages.

SCHLEMMER, A. 1969 "La méthode naturelle en médecine" Éditions du Seuil, Paris, 845 pages.

SNEDDON, J. RUSSEL 1964 "Nature Cure Of Rheumatic Aliments" Health For All Publishing Co. 64 pages.

STRUTHERS, J.L, M.B, B CHIR. 1968 "Do Something About That" Award Books, New York, 125 pages.

TERROINE, T. 1966 "Monographies des annales de la nutrition et de l'alimentation dites relations vitaminiques" Éditions du Centre national de la recherche scientifique, Paris.

TÉTAU, M. cahiers de biothérapie numéro 29.

TÉTAU, M. cahiers de biothérapie numéro 35.

TÉTAU, M. cahiers de biothérapie numéro 44.

TOBE, J.H. 1963 "Aspirin (Monster In Disguise) Provoker Press, Ontario 141 pages.

TRAN-VAN-NINH. 1931 "L'arthritisme" 11 pages.

VAUGHAN, M. JANET 1970 "The Physiology Of Bone" Clarendon Press, Oxford 300 pages.

VINCENT, A. Docteur, 1949 "Les méfaits de l'arthritisme" Idées scientifiques Neuchâtel, Paris.

WANONO, E. 1968 "Ligaments et vertèbres" Éditions Maloine, Paris, 125 pages.

VARMBRAND M. N.D. D.C. D. O. 1971 "How Thousands Of My Arthritis Patients" Arc Book, New York, 225 pages.

CENTRE NATUROPATHIQUE VERDON, LABELLE

Johanne Verdon-Labelle n.d.
Directrice
(enfants, grossesse, fertilité, ménopause, menstruations)

Yvan Labelle n.d.
Directeur
(arthrite, hypoglycémie, stress, désordres glandulaires)

Sur rendez-vous seulement.

English services available.

**1274, Jean-Talon Est, bureau 200
Montréal (Québec) H2R 1W3
Tél.: (514) 272-0018
Fax.: (514) 272-6956**

Yvan Labelle

Yvan Labelle, n.d.

L'HYPOGLYCÉMIE

UN DOSSIER CHOC !

Mieux comprendre l'hypoglycémie,
la violence, le syndrome prémenstruel,
les migraines, la fatigue, la dépression, etc.

FLEURS SOCIALES

DOSSIER CHOC SUR L'HYPOGLYCÉMIE!

Cette maladie peut:
▸ causer la violence conjugale
▸ déclencher la dépression
▸ amener des troubles
  de comportement
▸ mener aux crises d'angoisse
▸ conduire à la maladie mentale

Disponible dans les magasins de santé et
les librairies.
Commandes postales acceptées par
Mastercard et Visa.

Faites parvenir votre commande aux:
Éditions Fleurs Sociales
1274 Jean-Talon est, bureau 200
Montréal, Qué.
H2R 1W3 (514) 272-0018
Fax.: (514) 272-6956
L'Hypoglycémie, un dossier choc! 27.95$

«L'Hypoglycémie, un dossier choc» par Yvan Labelle n.d. est le livre le plus complet sur l'hypoglycémie.

Le déséquilibre des glandes, dont l'hypoglycémie, est règle générale le premier symptôme conduit directement aux «maladies de civilisation».

Basé sur 20 ans de recherches et de consultation naturopathique et onze ans de travail dans le domaine pharmaceutique, **Yvan Labelle n.d. nous offre un dossier incomparable sur les effets de cette insuffisance du taux de sucre dans le sang.**

Si vous pensez et si l'on vous a déjà dit que «ce sont vos nerfs...» «L'Hypoglycémie, un dossier choc» vous permettra de mieux comprendre la sagesse du corps et des glandes!

Johanne Verdon-Labelle, n.d.

SOIGNER
avec
PURETÉ

*Comment soigner
sa famille avec
les produits naturels*

Fleurs sociales

LE BEST SELLER
DE LA SANTÉ
ALTERNATIVE!

▸ Soins naturels «maison»
▸ Tout sur l'otite!
▸ Tout sur l'eczéma!
▸ Tout sur l'asthme!
▸ 19 témoignages
▸ 15 ans d'expérience

Disponible dans les magasins de santé et les librairies.

Commandes postales acceptées par Mastercard et Visa.

Faites parvenir votre commande aux:

Éditions Fleurs Sociales
1274 Jean-Talon est, bureau 200
Montréal, Qué.
H2R 1W3 (514) 272-0018

Soigner avec Pureté .... 24.95$

Johanne Verdon-Labelle, n.d.

Le Jardin
Utérin

Fleurs Sociales

LA MATERNITÉ
ÉCOLOGIQUE!

Pour en savoir plus sur:
▶ Les méthodes alternatives de soins
durant la grossesse.
▶ Les herbes et les points de pression
facilitant l'accouchement.
▶ La cure de désintoxication (avant la
conception) pour le couple.
▶ L'arbre généalogique et
* l'eczéma
* l'asthme
* les adénoïdes
* la nervosité, etc...

Disponible dans les magasins de santé et
les librairies.

Commandes postales acceptées par
Mastercard et Visa.

Faites parvenir votre commande aux:

Éditions Fleurs Sociales
1274 Jean-Talon est, bureau 200
Montréal, Qué.
H2R 1W3 (514) 272-0018
Fax.: (514) 272-6956
Le Jardin Utérin .... 24.95$

L'ACADÉMIE
NATUROPATHIQUE

JOHANNE VERDON INC.

Ouvert de septembre à juin, l'Académie Naturopathique dispense l'enseignement de la *science et de l'art
de la naturopathie* à celles et ceux qui veulent
devenir naturopathe professionnel ou encore acquérir
plus d'autonomie dans ce domaine des soins de
santé.

Le programme de l'Académie est basé sur une
expérience clinique renommée (50 ans). Le corps
professoral est constitué de naturopathes cliniciens
soucieux d'inculquer aux étudiants une formation
basée sur les principes de la *naturopathie or-
thodoxe*. Ces principes de désintoxication, de
revitalisation, d'équilibre du mode de vie et l'utilisation
des facteurs naturels de santé sont enseignés *en
respectant l'équilibre science et art du soin.*

SECRÉTARIAT:
1274, Jean-Talon Est, #200
Montréal (Québec) H2R 1W3
Tél.: (514) 272-0018
Fax.: (514) 272-6956

*La nature au service
du professionnalisme*